食う寝る遊ぶ

小屋暮らし

中村好文

はじめに

浅間山のふもとにあるこの「小屋」は、私が、妻や事務所《アトリエ》のスタッフをはじめ、親しい友人知人たちと週末や休暇を過ごすための建物です。普通なら「別荘」または「山荘」と呼びたいところですが、床面積一四坪の質素な建物は「小屋」という呼び名のほうがピッタリなので、いつもこう呼んでいます。

小屋には正式の名称もあります。「LEMM HUT」というのがそれ。もともとはLEMMING HUTの略ですが、レミングを日本語に訳すと旅鼠、ハットは小屋という意味なので、そのまま訳すと「旅鼠の小屋」となります。私の干支の子年にちなんでの命名ですが、なんのことはない、結局は「小屋」なのです。

一見粗末に見えるこの「小屋」は、見かけによらず大きな志を抱いています。よく「人は見かけによらない」と言いますが「家だって見かけによらない」のです。

じつは、この小屋で営まれる暮らしを通じて、これまで誰もがあたり前だと思って享受してきた……いや、浪費してきたと言ったほうがいいかもしれませんん……暮らしを支えるエネルギーについて考え直そうとしているのです。

これまで住宅の文明度や文化度は、電気、電話、上下水道、ガスなどの「線」または「管」の数で計られてきたと思います。つまり、線と管の数を増やすことで文明度と文化度は上がると信じられ、私たちは知らず知らずのうちに、それをせっせと推し進めてきたわけです。

でも、無尽蔵だと思っていた石炭、石油など地球の埋蔵資源の枯渇をはじめ、オゾン層破壊や温暖化など地球環境のことを考えると、これからは、逆にその文明の命綱《ライフライン》を一本ずつ減らしていき、環境負荷の少ない住宅にしていくことが建築的な課題になるだろう……と、まあ、そんなことを考えて、この小屋ではエネルギーを自給自足する暮らしを実践しています。

こう言うと、私がエコロジー問題に真剣に取り組んでいる建築家だと誤解する読者がいるといけないので、急いで付け加えますが、私はそれほど生真面目な建築家ではありません。「そういう住まいと暮らしを、工夫しながらしてみるのも愉しそうだね」ぐらいの、いわば、気楽なエコロジー・エンジョイ派なのです。

なにしろ、エンジョイ派ですから、板張りの外壁をスタッフと一緒に張り上げたり、ペンキ塗りをしたり、内部のこまごまとした大工仕事や家具作りをしたりもしました。

「遊び半分」という言葉は、あまりいい意味で使われることはありませんが、私としてはこうした住まいや暮らしの実験は、できれば眉間に皺を寄せてではなく、鼻歌まじりで、つまり「遊び半分」で「愉しみながら」したほうが、成果が上がるように思うのです。

「エネルギーを自給自足する小屋暮らし」について、さわりだけ説明しておきましょう。

○電力は風力発電とソーラー発電でまかなう。
○水は屋根で集めた雨水を浄化して使う。
○調理は炭火を燃料とする七厘またはキッチンストーヴ。
○お風呂は薪で焚く五右衛門風呂。
○トイレは簡易水洗トイレ（汲み取り式）。

ほらね？　線にも管にも繋がれていないでしょう？
しかも、どう見ても見事に不便そうでしょう？

ところが、不便や不自由は、本来人間の持っている「生活の知恵」を呼び覚まし、「創意と工夫」を生み出す原動力かもしれません。休日を小屋で過ごすようになってから、手も頭もじつによく働くようになり、賢くなったと、自分でもそう思うのですから……。

つまり、休暇をのんびり過ごすつもりが、いつのまにか「働き者」になり「創意工夫の人」になってしまったというわけです。

この本は、私が、長野県御代田町《みよたまち》にある「働き者の小屋」をつくりあげるまでと、そこで営まれる「働き者の暮らし」についての話です。もしかすると小屋ばかりではなく、住まうこと、暮らすこと、そのものの話になるのかもしれません。

二〇一三年　三月吉日

中村好文

食う寝る遊ぶ
小屋暮らし　目次

一章　小屋への道のり

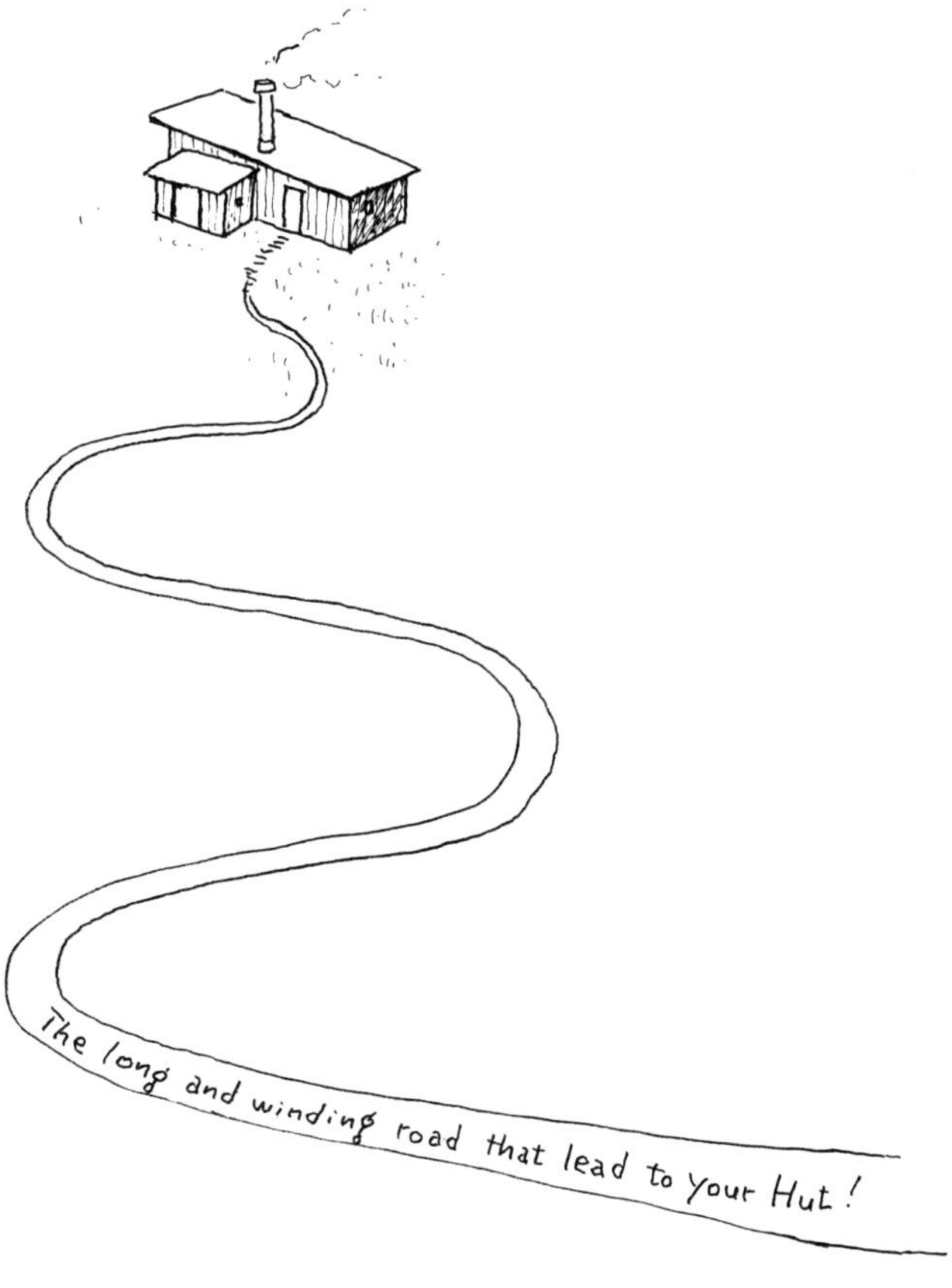
The long and winding road that lead to your Hut!

憧れの「休暇小屋」

二十世紀も残すところ十年となった一九九〇年、東京銀座の松屋デパートで「LAST DECADE」というタイトルのデザイン展が開かれました。

この展覧会に、私は私自身の別荘の計画案を出展しました。計画案といっても、敷地も、建物の規模も、間取りも決まっていたわけではありませんから、展示したのはいわばイメージ模型です。そして、展示ブースのフロントガラスに「私の休暇小屋」と題して以下のような内容のコメントをシルク印刷しました。

——これは、太平洋を望む小高い丘の上に建つ私自身の休暇小屋の計画である。私はこの小屋を電線や電話線、水道管やガス管などの便利な「文明の命綱」で繋ぐのはやめようと考えている。二十世紀最後の十年は、雨水や風力、それに太陽熱などの自然の恵みと真正面に向き合って暮らす質素で贅沢な休暇生活を送りたいのである。

海を望む場所に小屋を建て、日がな一日、海を眺めて過ごしたいという願望を私は長年にわたって持ち続けていました。思いを仕舞いこまずに発表しておけば、何かの進展があるかもしれないと願ってのことでした。

計画案の最大の特徴は、いうまでもなく小屋が「文明の命綱」に繋がれていないところですが、エネルギーを自給自足しているそのことが、視覚的にも見て取れる小屋にしたいと考えていました。小屋がただ単に雨露を凌《しの》ぐものとして働いているだけでなく、そこで営まれる人の暮らしを積極的に手助けしている様子を表現したいと考えたのです。

ユカタン半島の質素で贅沢な暮らし

そこで営まれる人の暮らしを、積極的に手助けする小屋。

この考えは、ある時期、実用に徹するために愉快な工夫をこらしたシェーカー教徒の建築に興味を持って、つぶさに見学して歩いたことなどによって育まれたのだと思いますが、直接的には、メキシコのユカタン半島をバスで横断旅行した際に、車窓からマヤの民家とそのたたずまいを目にして心打たれたことがきっかけとなって生まれました。

平均時速一〇〇キロで疾駆する古びた大型バスに一日に八、九時間も揺られる過酷な旅でしたが、集落にさしかかると、私はもうぼんやりなんかしてはいられませんでした。窓の外の小さな民家が少しずつ目に入りだし、だんだんその数が増えて小さな集落を形成していきます。その民家のひとつひとつが、規模といい、素材といい、ほのぼのとした童話的な姿かたちといい、実に魅力的で、ついつい見とれてしまったからです。

土壁でぐるりと小判形に囲み、藁屋根を載せただけの民家は「建物」というより「小屋」ですし、「簡素」というより「粗末」と表現したほうがよいのですが、私にはそれが人の住まいとして必要充分のように思え、しかも、とても美しく感じられました。

小屋の傍らには合歓《ねむ》の木を植える風習があるらしく、大きく張った枝葉が小屋の前の作業庭を覆い、気持ちよさそうな緑陰で、せっせと働く男女やその仕事を手伝う子供たち、ハンモックで昼寝している老人などが見えました。また、どこの集落にもひとつかふたつ、丸太で組まれた高い櫓《やぐら》があり、その上でゆっくりと風車が回っていました。よく見ると、どうやら風力でポンプを駆動させ、井戸水を汲み上げているようでした。

こうした光景を目のあたりにしつつ、私は「働く建物」という言葉や「働き者の建築」という言葉を思い浮かべていました。その土地の泥と灌木と藁でつくられた質素この上ない小屋や、風車を取りつけた櫓が、建築のあり方としてとても好ましく、また、なんとも健気《けなげ》に感じられたのです。

建築の材料や技術の進歩によって、建物は壁であれ、屋根であれ、窓であれ、思いのままにつくれるようになりました。しかしそのことで、建築を健全な姿に保っていたタガが外れ、「建築の初心」は忘れられて、自己満足のための表現や、新奇性を追い求めることで建築形態を弄《もてあそ》ぶ傾向に陥っているようにも見受けられます。ユカタンの民家と集落を眺めているうちに、そんなことも自戒の気持ちとともに湧き上がってくるのでした。

展覧会が終わると、思惑通り小屋の計画に進展がありましたが、下見に行った土地のほとんどは私が思い描いていたイメージとは、眺望の点でもアクセスの点でもかけ離れていて、あっさり言えば可能性のない敷地ばかりでした。そうこうするうちに、本業の住宅設計と家具デザインの仕事が忙しくなってきて、世紀末の最後の十年は、瞬《また》く間に飛び去り、小屋の話は沙汰やみのまま、二十一世紀に突入してしまいました。

ユカタン半島の民家

ソーラーパネル
高架水槽（ウィスキー樽）
Mt. ASAMA
手押しポンプ
LEMM HUT
Miyota

風車

二章　開拓者の家

開拓者夫婦の小さな家

長野県御代田町は、浅間山のふもとの南斜面にあります。この御代田に、木の椅子を作らせたら日本でも指折りの家具職人でもある、友人の村上富朗さんが住んでいたので、私はそこに二十代の終わりごろからたびたび遊びに行っていました。

村上さんの工房に向かう小径の脇には、小さな家が建っていました。目の前には、浅間山の裾野である雄大な佐久平が広がり、その向こうには八ヶ岳連峰がそびえたっています。その眺めもさることながら、小さな家のたたずまいも、心惹かれるものでした。背後を樹々に囲まれてひなたぼっこしているようなつつましい風情があり、私は、こんなところに住んでみたいと思っていたのです。

そんなわけで、その小さな家をチラリチラリと横目で眺めながら通っていたのですが、あるとき、どうやら空き家になっているらしいことに気づきました。

聞けば、その土地に開拓者として入植し、農業をしながら暮らしていたご夫婦のご主人が亡くなり、その後一人暮らしをしていた夫人も高齢で亡くなったとのこと。

「では、もしかしたら、もしかするかも……」

消えかけていた小屋作りの埋《うず》み火が、私の胸の中でまた静かに熾《おこ》りはじめました。さっそく村上さんに亡くなった方の縁者に連絡を取ってもらい、エネルギー自給自足の実験住宅のために土地と建物を貸していただけないか、ダメモトで打診してもらいました。

待つことしばし、嬉しいじゃありませんか、私の願いがかない、承諾の返事がもらえました。いや、承諾どころか、こちらの意図をよく理解してくれての快諾でした。期限付きではありますが、格安の値段で私はこの場所を借りられることになったのです。

開拓者気分を受け継ぐ

小屋への道のりは長く曲がりくねったものでしたが、見果てぬ夢に導かれて、細々ながらどうにか繋がってくれていたようです。

建物をエネルギー自給自足型の住宅にし、さらに、この建物で週末や長い休暇を過ごすことになる私たち（妻をはじめ、事務所《アトリエ》のスタッフや親しい友人知人たち）の生活スタイルに合わせるためには、大がかりな増改築が必要でした。

小屋作りに取りかかるにあたり、私はまず大方針を決めました。

それは、この家を自分たちで手作りして暮らしていた開拓者夫妻への敬意を込めて、彼らが手作りした古い部分をできるだけ残して増改築するというものです。

解体工事は二〇〇五年三月に始まりましたが、手始めに既存の建物の一部を壊してみると、外観の印象から木造だとばかり思っていた建物の主体構造（骨組み）がブロック造であったことが判明し、愕然としました。

いつもの私なら、ついでにこのブロック壁も壊して新築するほうを選んでいたかもしれません。そのほうが工事は簡単で、そのぶん工事費は安上がりですし、制約のない自由な設計ができるからです。

しかし、このとき、私の心の中で「待った！」の声がふたつかかりました。ひとつめは、もともとここではエネルギーや資源のことを考えつつ「始末に暮らす」ことがテーマなのに、ブロック壁をあっさり壊してしまっては、自ら掲げたテーマそのものを裏切ることにならないか？　の「待った」。もうひとつはブロック壁を壊すことで、ここで過ごした開拓者夫妻の喜怒哀楽の染みこんだ家の記憶も、そっくり抹消してしまうことになりはしないか？　という気持ちからくる「待った」でした。

小屋の骨格になるはずのブロック壁は、敷地の西側に置き去りにされたような風情で残っており、遠目には建物の残骸のように見えました。

でも、ブロック壁は建物の一部に過ぎませんが、この場所に住み着き、この場所で生涯を終えた開拓者夫妻の建物を再利用し、そこを核にして新しい建物に仕立て直していくことで、彼らへのオマージュにしたいという考えも、いっそう強くなっていたのです。

この小屋で私がやろうとしているのはエネルギー自給自足の実験住宅ですから、ここでの生活は不便や不自由と背中合わせになるはずです。つまり、暮らしぶりはどこか開拓者的な様相を帯びてくるにちがいありません。

私は、家の記憶と一緒にその開拓者精神（というより、開拓者気分というべきでしょうか？）も受け継ぎたいものだと、思いはじめていました。

開拓者夫妻の住んでいた小さな家。ゆるやかな南斜面の上に建ち、背後は雑木の木立に守られている。

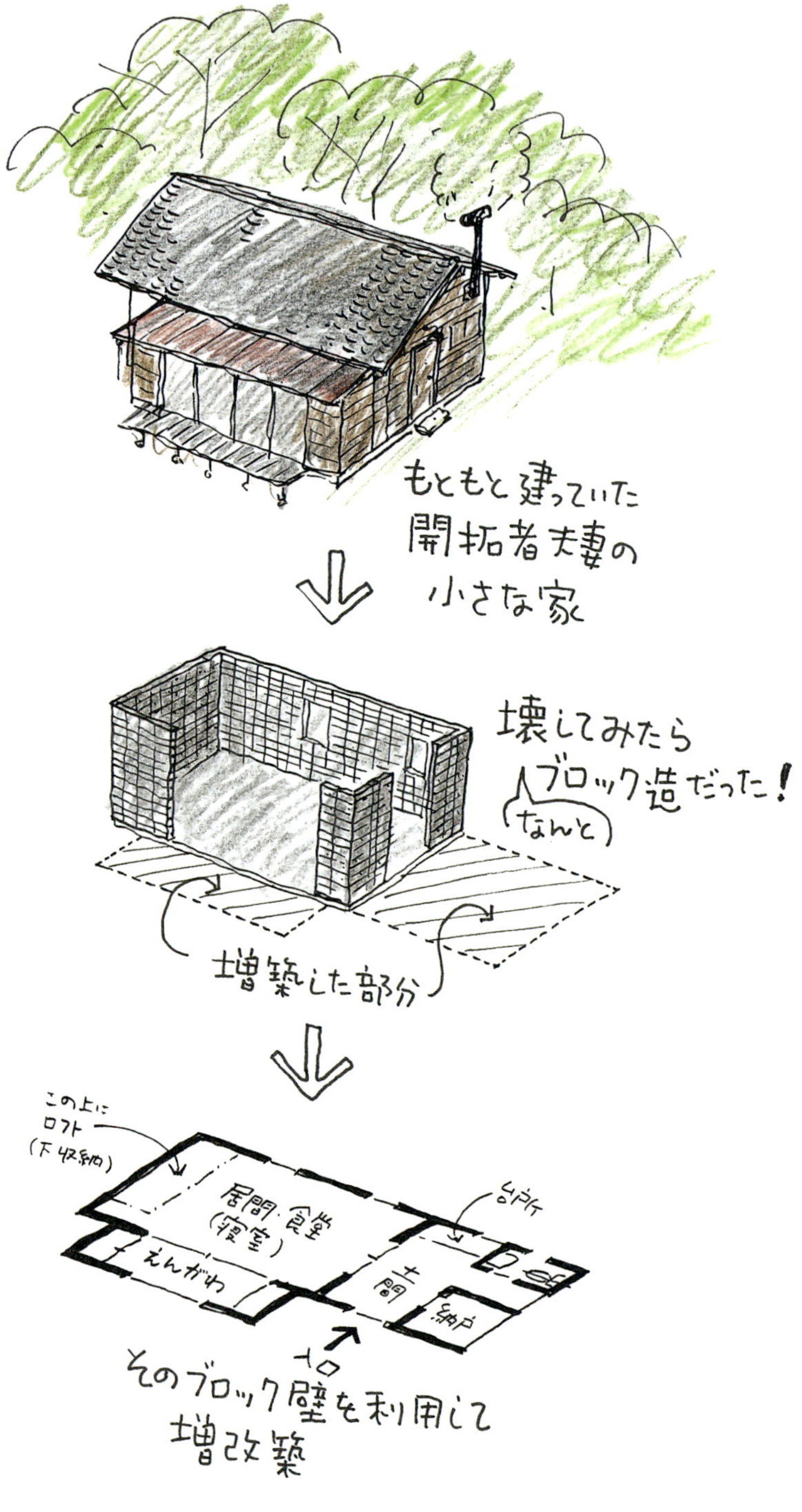
もともと建っていた
開拓者夫婦の
小さな家
壊してみたら
ブロック造だった！
なんと
増築した部分
この上に
ロフト
(下収納)
居間・食堂
(寝室)
台所
えんがわ
土間
納戸
入口
そのブロック壁を利用して
増改築

増改築後の外観

東側から見た小屋の外観。こちらに向かって降りてくる大きな片流れ屋根は、雨水を効率よく集めるための集水板の役目をしている。右手前の櫓は、ソーラーパネルと風車と高架水槽を載せたエネルギータワー。

三章　働き者の小屋

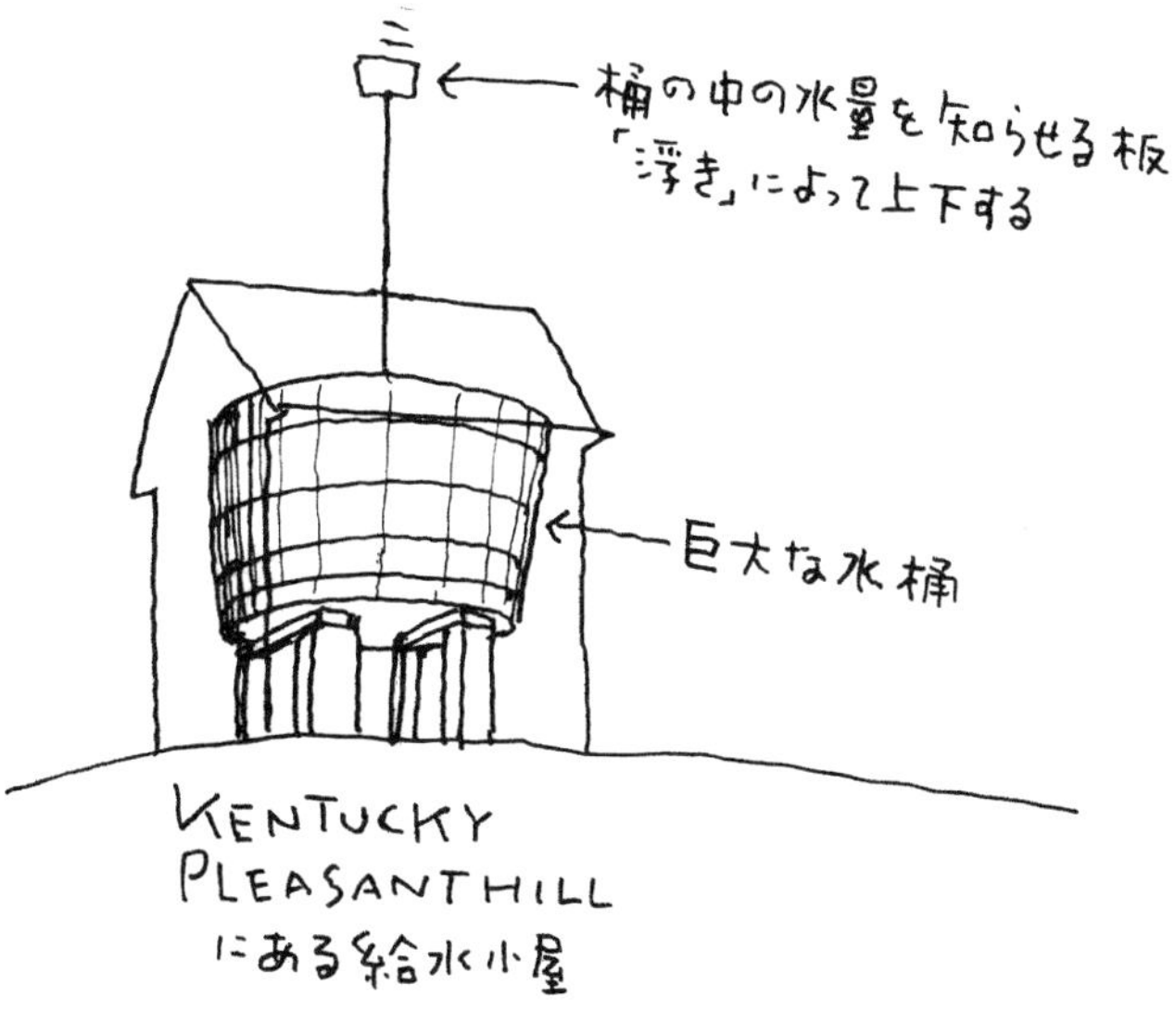

桶の中の水量を知らせる板
「浮き」によって上下する
巨大な水桶
KENTUCKY
PLEASANTHILL
にある給水小屋

「旅鼠の小屋」のサイズ

だいぶ以前のことですが、狭小な日本の住宅事情を揶揄《やゆ》した「ウサギ小屋」という言葉が一種の流行語になったことがありました。

もともとは欧州経済共同体（ＥＣ）の内部報告書の中に書かれていた言葉だそうですが、「ウサギ小屋」とはいかにも人を小馬鹿にした表現なので、住宅建築を自分のライフワークにしようと考えていた私は大いに義憤を感じたものです。

ところで、私が自分の干支の子年と、旅好きであることにちなんで名付けた小屋の名前の「LEMM HUT＝旅鼠の小屋」には、「そのウサギ小屋よりもっと狭いけど、工夫次第で必要充分な広さにできるんだぞ！」と逆に言い返す気持ちが込められています。「窮鼠《きゅうそ》、猫を噛む」心意気の命名と言えるかもしれません。

「ウサギ小屋より狭い」と豪語する（？）その「LEMM HUT」の大きさがどのようにして決まってきたか？　さらにその間取り《プラン》はどうなっているか？　そのあたりをご説明したいと思います。

解体工事を終えてみると、ブロック壁で囲われた既存部分は、約六・四メートル×約三・六メートルで、面積約七坪でした。

このブロック壁の領域に、縁側部分の二・四坪と、台所となる土間、物置、それにトイレの四・五坪を増築して、延べ床面積一四坪の小屋をつくります。

ブロック壁の外側に胴縁《どうぶち》（外壁下地用の桟のこと）を打ち付け、胴縁の間に断熱材を充塡《じゅうてん》した上で通気性のある防水シートを張り、その上に外壁の杉板を縦張りしました。つまりこの部分を完全に外断熱することによって、建物全体の断熱性能は上がりますから、ここを、居間であり、食堂であり、寝室となる主要な居室とします。

外壁とは反対に、室内側はブロック壁をそのまま見せてペンキを塗るだけにしました。この部分を板やボードで小綺麗に覆ってしまうと、建物の由来が分からなくなってしまうからです。

この居室の奥行きに合わせて、住宅のサービス部分である台所、洗面・トイレ、物置、そしてソーラー発電関連の機械類置き場になる土間空間を増築しました。既存部分と増築部分には一枚の片流れの屋根を架けて、雨水を一カ所に効率よく集めるようにしてあります。屋根が昇っていった先は天井が高くなり、畳一畳敷きのロフト（一人用の寝室コーナー）ができました。

最後に、既存部分の南側にサンルームと縁側を足して二で割ったような空間を付け加えて完成です。この部分は、間口約四・八メートル、奥行き約一・五メートルで、畳の部屋に換算すると約四畳半ほどになり、厳冬期でなければ二人ぐらいは楽に寝ることができるはずです。これで床面積の合計が一四坪、大きすぎず、小さすぎず、小住宅としてほど良いサイズになったわけです。

基本的には小屋全体がワンルームのつくりですが、引き戸を開け閉《た》てすることで、必要に応じて、居間・食堂・寝室兼用の広間と縁側を仕切ったり、その広間と土間空間を仕切ったりできるようにしてあります。

　引き戸の開閉によって融通無碍《むげ》な部屋を臨機応変に使い分けるのは、伝統的な日本家屋の常套的な手法です。また、ひとつの部屋が居間にも食堂にも寝室にもなり、多目的に使えるというのも日本家屋の優れた特徴です。この小屋には、限られた床面積を有効に使いきるそうした日本的な「住まい方の知恵」を生かそうというわけです。

　と言っても伝統的な日本の家にまったく問題がないわけではありません。

　もしかすると私だけの感じ方かもしれませんが、日本家屋には「なんとなく居場所がない」ような気がするのです。それを「所在ない」と言い替えてもいいかもしれません。床の間を背に威厳をもって端座したりなんかできればいいのですが、あいにく私はそういう場所も格好も似合いません。というわけで、この小屋は日本家屋の知恵を生かしつつ、あちらこちらに居心地良く、愉しく過ごせる場所を用意することにしました。

　私は、住宅の価値は面積ではなく、居心地の良い場所の数で決まるものだと思っています。

　大テーブルを挟んで気の置けない仲間とチビリチビリやりながら雑談に興じるもよし。縁側に拡げたマットの上で、穏やかな午後の日差しを浴びてまどろむもよし。たまには神妙な顔つきで机に向かって仕事に励むもよし。暖炉の前で甲斐甲斐しく薪と炎の世話をするもよし。ロフトに上がって樹上の気分で読書に耽《ふけ》るのもよし……といった具合。

　どうです？　そういう意味では、「ネズミ小屋」もまんざらではないでしょう？

一般道から小屋に入る小径の角に立てたLEMM HUTの案内板。ご近所の案内板とデザインを合わせて製作。

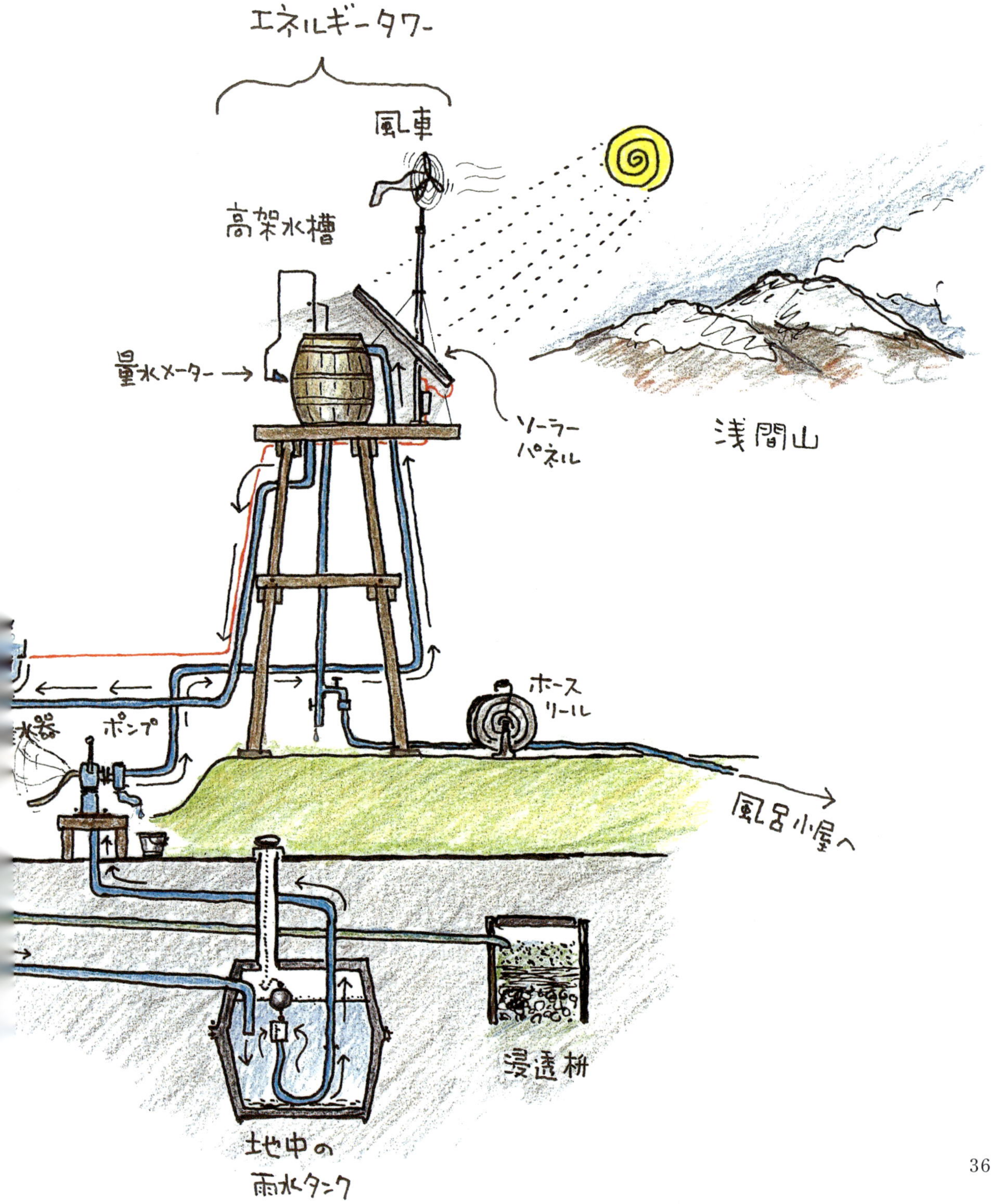
エネルギータワー
風車
高架水槽
量水メーター
ソーラーパネル
浅間山
ホースリール
ポンプ
風呂小屋へ
浸透枡
地中の雨水タンク

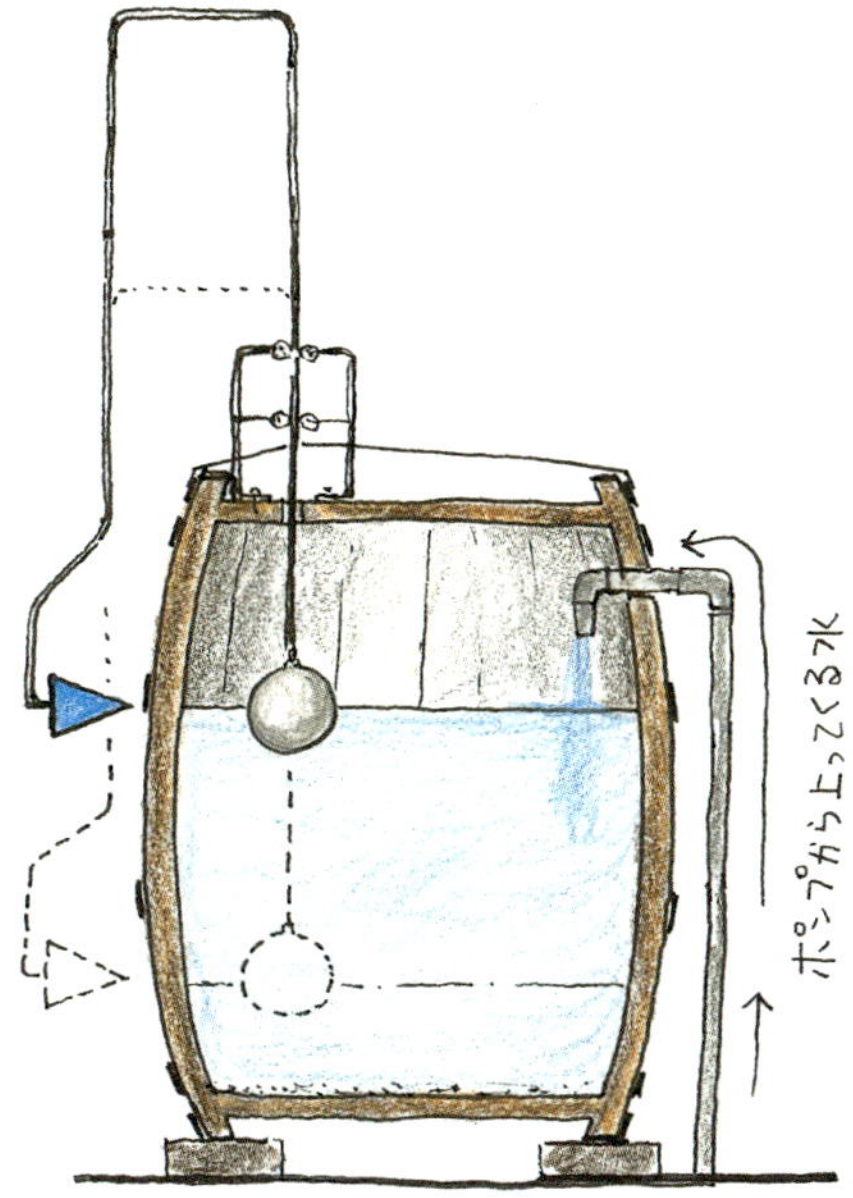

LEM式 量水メーター
▶の位置を
見ながらポンプを漕ぐ

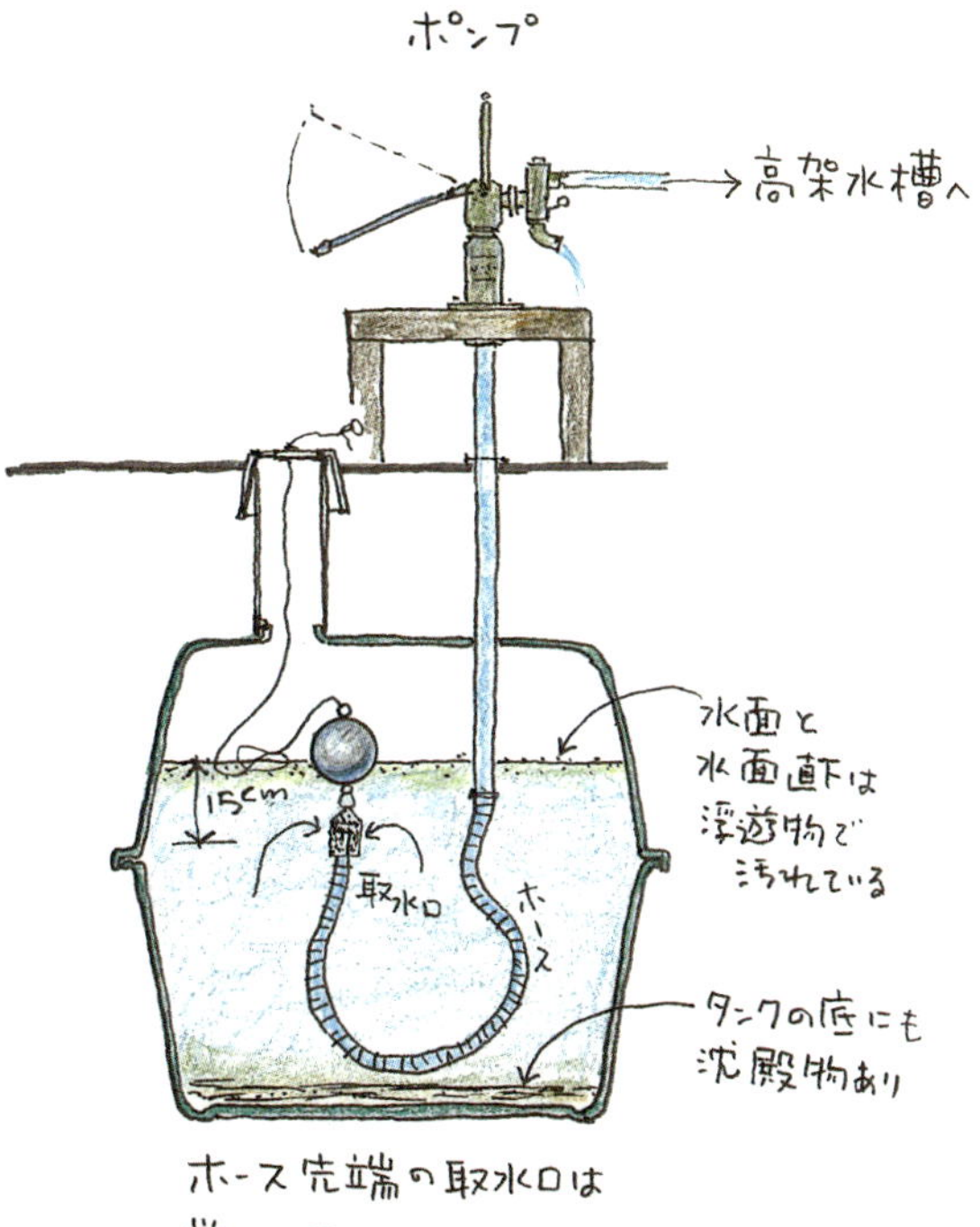

ホース先端の取水口は
常に水面下15cmの水を
汲み上げる
汚れの少ない

LEMM HUT
配置図

ローテクに徹した「雨水利用」の仕掛け

小屋作りは私にとって作業のすべてがワクワク、ドキドキする貴重な体験でした。

なかでも、生活用水を確保するための「仕掛け」や「仕組み」ぐらい、ローテク好きの私の心をくすぐったものはありません。高架水槽を据え付けて台所とトイレに給水できるようになれば、本格的に小屋暮らしがスタートできるのです。

まずは屋根面で集めた水の濾過方法から給水までのローテクに徹した愉快な仕掛けについて、くわしく書いておきたいと思います。

小屋における雨水利用は大まかに三段階に分けられます。

片流れの大きな一枚屋根で雨水を効率よく集め、軒樋とたて樋を経由して地中の貯水タンクに注ぎ込むのが雨水利用の第一段階の「集水」。

集めた水を可能な限り良好な状態で貯めておくのが第二段階の「貯水」。

そして、その水を手押しポンプで高架水槽に汲み上げ、簡易水洗トイレや洗面所や台所の蛇口まで導くのが三段階目の「給水」ということになります。

私が心くすぐられるのは、それぞれの段階で、単純極まりない仕組みでありながら、文句のつけようのないスグレモノの道具たちが目の覚めるような活躍をすることです。

なかでも「集水器」は極めつきのスグレモノでした。その巧妙な仕組みに、私は思わず感嘆の声をあげ、この集水器に巡り会えただけでも小屋作りを決心した甲斐があったとさえ思いました。仕組みは三八頁のイラストをご覧いただければ一目瞭然のはずです。

四章　普請三昧

その一

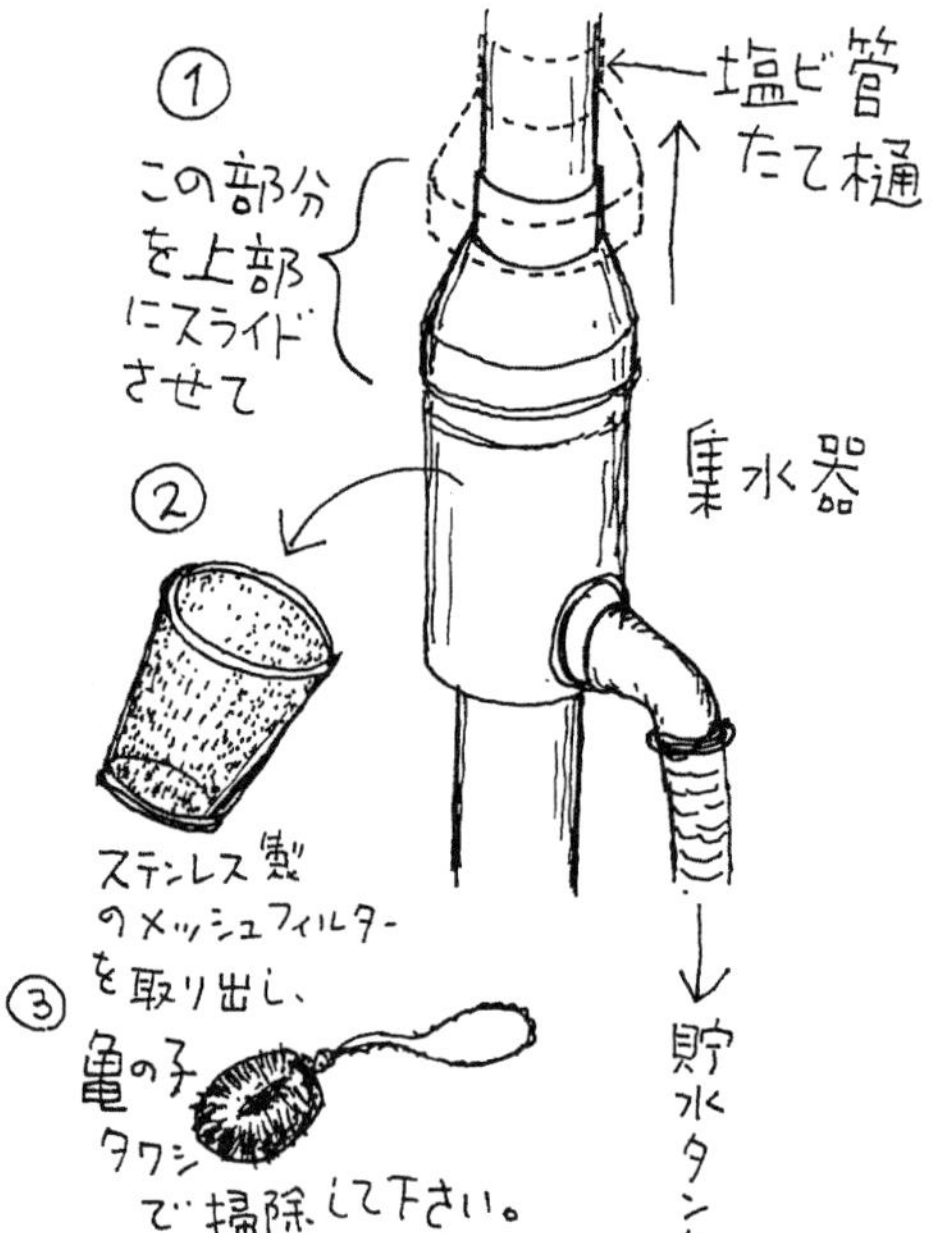

①
この部分を上部にスライドさせて
塩ビ管
たて樋
集水器
②
ステンレス製のメッシュフィルターを取り出し、
③
亀の子タワシで掃除して下さい。
貯水タンクへ

浅間山
ソーラーパネル
高架水槽
（樽）
コンポスト
APROAC

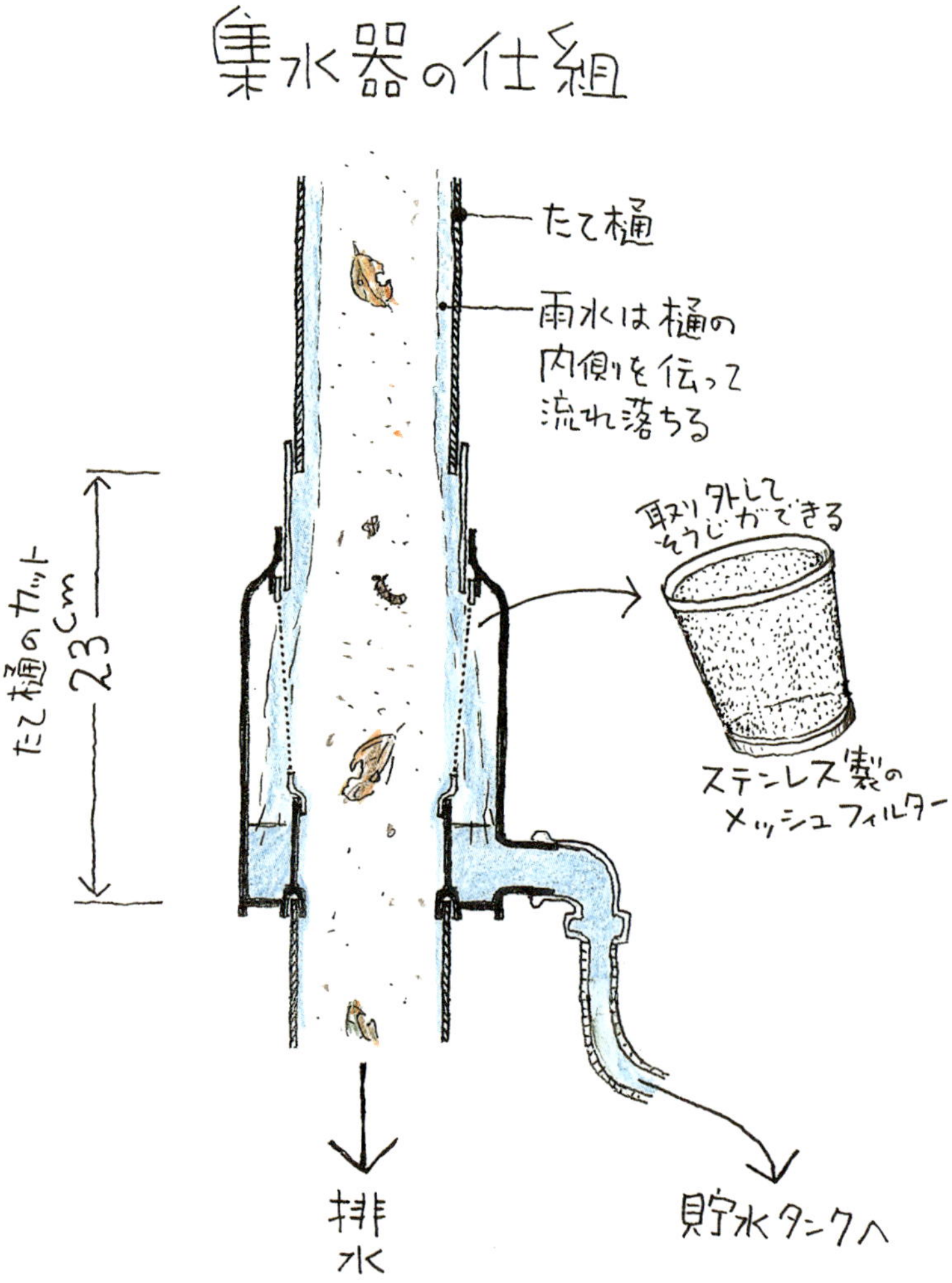
集水器の仕組
たて樋
雨水は樋の
内側を伝って
流れ落ちる
たて樋のカット
23cm
取り外して
そうじができる
ステンレス製の
メッシュフィルター
排
水
貯水タンクへ

ロフト
居間
食堂
台所
トイレ
洗面
水・電気 自給自足 システム図

屋根で集めた水のゴミを巧みに取り除くドイツ製の集水器。あっけないくらい簡単な仕組みのスグレモノ。

風車と太陽光発電と冷たいビール

電力を太陽光と風力による発電で自給自足することにして、小屋ではとりあえず、外部からの電気の供給を絶ちました。これで文字通り電線の繋がっていない家になったのですが、ソーラーパネルと風車の設置場所については少々悩みました。

遠目にもエネルギーを自給自足している小屋であることが見て取れなければならないので、効率よく発電できるという条件をクリアした上で、外観上も「ここぞ」という場所でなければなりません。悩んだ末、当初風車は小屋の入口右脇の、どこからもよく目立つ位置に立てました。ここなら、出入りするときに頭上の風車の風切り音を聞いたり、健気に回る風車を間近に見上げることができるからです。玄関先に着いたとたんに一陣の風が吹き、風車がシュルシュル回りはじめるなんて、ちょっと嬉しいじゃありませんか。

一方、ソーラーパネルは、当初は、縁側の差し掛け屋根の上に載せることを考えていましたが、視覚的なインパクトが弱いのと屋根勾配が緩すぎてソーラーパネルに適した角度ではないのでとりやめました。そうこうするうちに、樽を載せた櫓に架台を取り付けるのが最良の方法だという結論に達したのです。理由はふたつあり、ひとつは、ソーラー発電に適した任意の角度に設置できること。もうひとつは（ここからが重要です！）、ソーラーパネルで樽に当たる日差しを遮ることができることです。ご承知のように、水の入った樽（高架水槽）に陽が当たると内部の水温が上昇して藻やボーフラが発生しやすくなりますから、樽はできるだけ日陰になる場所に設置したいのです。かくて、「太陽の光を当てたいソーラーパネルで、太陽の光を当てたくない樽を覆う」という一石二鳥を絵に描いたような「働きものの櫓」が出現したわけです。

ソーラー発電と風力発電は自動的にバッテリーに蓄電するシステムになっていますが、フル充電されていれば、週のうち三日間、たとえば、金曜の夜から日曜の夜まで、最大三五〇ワット（W）の電力を一日あたり約七時間使うことができます。小屋に四カ所ある電灯は、居間兼食堂が六〇W、台所とトイレと物置がそれぞれ四〇Wなので、これを、仮に全部同時使用するとしても、合計一八〇W。他には、台所の換気扇が二七W、音楽を聴くのに四〇Wぐらいですから、まだ一〇〇W強余裕があることになります。しかもこの間、日中の天気さえ良ければソーラーパネルは休みなく発電してくれますから、電力は充分間に合う計算です。それどころか、容量七五リットル程度の小型冷蔵庫なら、電力はせいぜい六五Wぐらいなので、なんとか使えることになるわけです。

ところで、注意深い読者は、私が風力発電について触れることをそれとなく避けようとしていることに、もうお気づきでしょうね。ソーラーパネルによる発電はまずまずの成績なのですが、風力発電の能力がじつはイマイチなのです。風力発電の不調の原因を究明し、風車の能力を最大限に引き出すのが、今後の課題になりそうです。

敷地内の小高い場所に建てたエネルギータワー。
陽を当てたくない高架水槽を２枚のソーラーパネルが覆って日陰を作っている。

風力発電のための風車。この風車は１分間に６秒間だけ自転する回転アシスト機能が付いている。
風車の回り始めをアシストすると微風でも回り続ける。

五章　普請三昧

その二

「あれも建てたい。これも作りたい。」

暮らしの仕掛けを遊ぶ

ひと足早めの夏休みを取って、初夏の北イタリアに出かけたときのことです。

この国の愉しみは、どこに行っても、何度行っても、眠っていた感性を揺すぶられ、新たな興味を呼び覚まされる発見があることですが、二年ぶりに訪れたフィレンツェで、さっそく新しい見学スポットを発見しました。いつも泊るホテルと、サンタ・マリア・デル・フィオーレ（ドゥオモ）を結ぶセルヴィ通りに「レオナルド・ダ・ヴィンチ博物館」という小さなミュジアムが開館していたのです。

ミュジアムには、その名の示す通りレオナルドの様々な発明品の模型が展示されていました。展示品はもちろんオリジナルではなく、レオナルドのスケッチを下敷きにして忠実に復元した模型で、縮小模型あり、原寸大模型あり、その数二〇あまり。展示物の中には、あの有名なヘリコプターや、鳥のように羽ばたく飛行機（？）をはじめ、木製自転車や、連射式の大砲なんかもありました。

どの発明品からも「力の伝達」と「運動の法則」へのレオナルドの異常なまでの関心が窺《うかが》えて興味尽きないものでしたが、中にはからくりや仕掛けそのものが目的になってしまったような摩訶不思議な発明品もあり、思わず二十世紀初頭にイギリスで活躍したW・ヒース・ロビンソンの愉快なイラストレーションを連想したりしました。

連想は、そのまま、御代田の小屋で私が試みている様々な仕掛けに繋がっていきました。言うまでもなく、小屋の仕掛けはダ・ヴィンチの発明品とは似ても似つかない幼稚な代物ですが（どちらかと言えば、W・ヒース・ロビンソンの仕掛けに近いかもしれません）、それでいて、それなりに暮らしに役立つだけでなく、使い手の微笑を誘い、愉快な気持ちにさせてくれる働きもあります。

私の場合、そうした仕掛けを愉しく思う気持ちの裏に、設備機器や家電製品の過剰な進歩ぶりに対するいくらか批判的な気持ちがあることも否めません。

たとえば、コンピュータ制御によって自動的にお湯張りから沸かすところまでしてくれるお風呂や、近寄るだけでパクッと蓋が開き、その場を離れれば水の流れる便器や、やれ「洗濯が終わりました」とか「ご飯が炊けました」とか、話し声で知らせてくれる機能を、心のどこかで、邪魔くさく、余計なお節介に感じていることが、私をこうした他愛のない仕掛けの考案に駆り立てるのかもしれません。

小屋内部のあちこちにしつらえたローテクを駆使した仕掛けをここで紹介しておくことにしましょう。

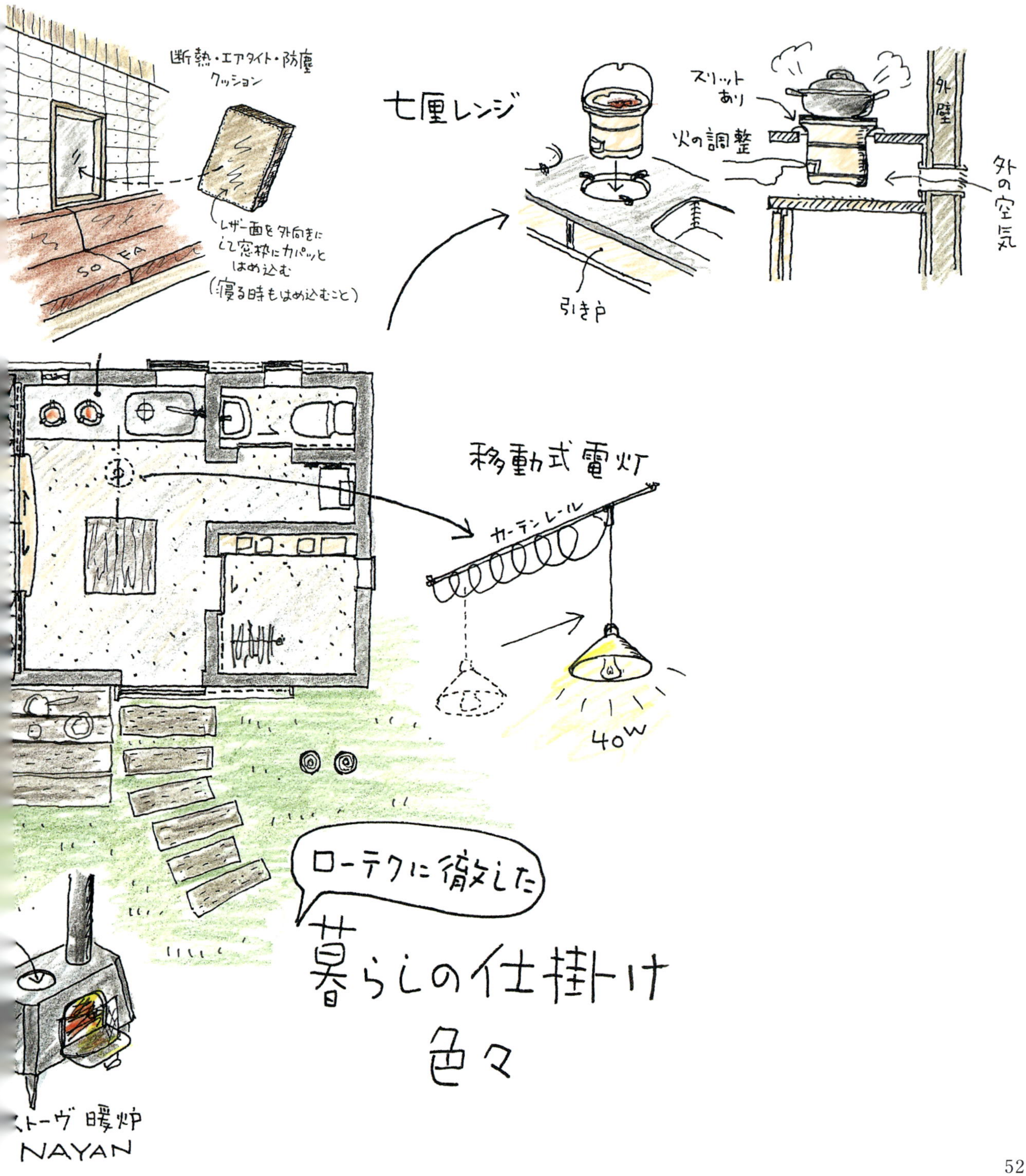
断熱・エアタイト・防塵
クッション
レザー面を外向きにして窓枠にカパッとはめ込む
（寝る時もはめ込むこと）
七厘レンジ
スリットあり
火の調整
外壁
外の空気
引き戸
移動式電灯
カーテンレール
40W
ストーヴ 暖炉
NAYAN
ローテクに徹した

暮らしの仕掛け色々

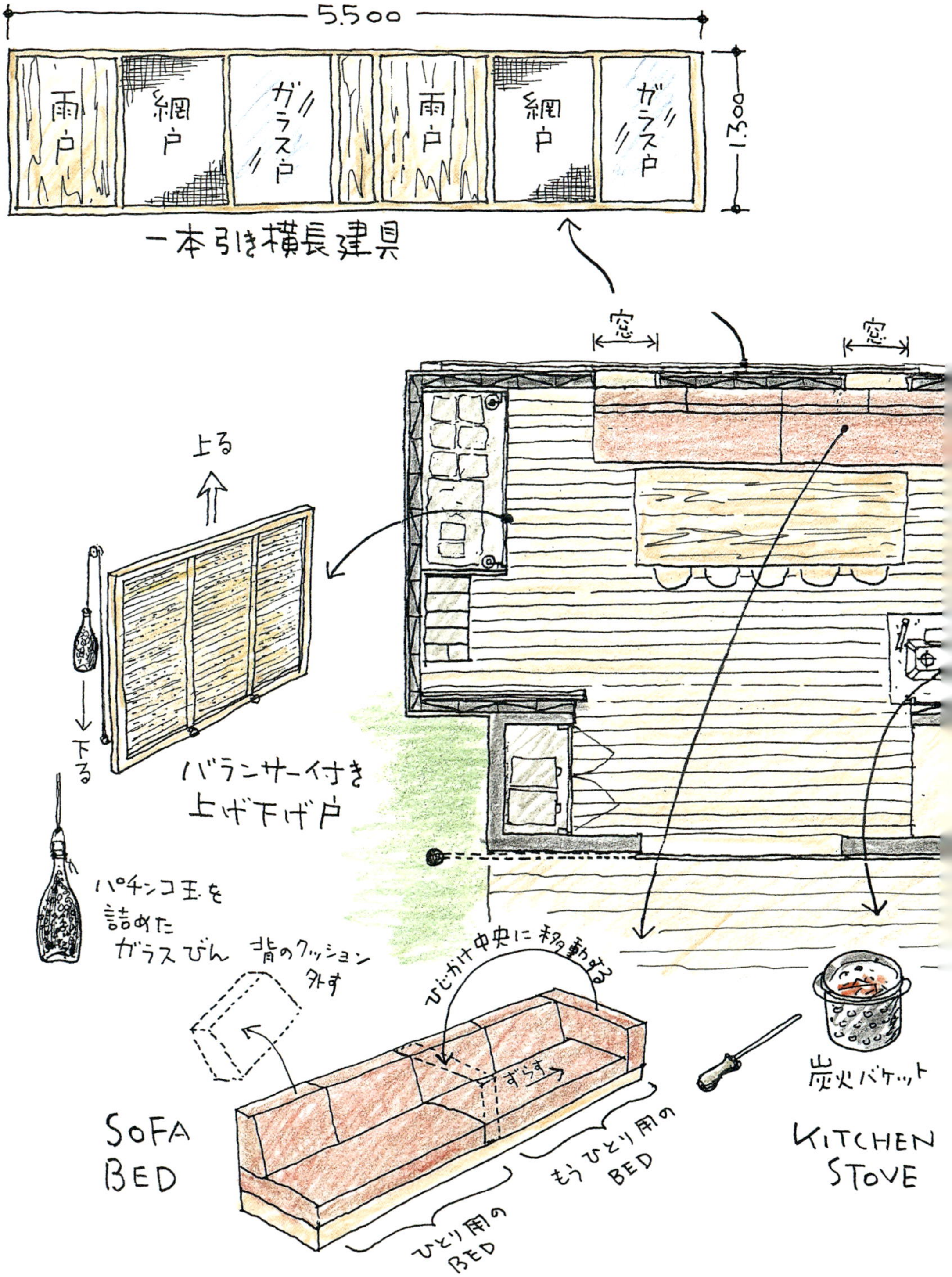
5.500
雨戸
網戸
ガラス戸
雨戸
網戸
ガラス戸
1.300
一本引き横長建具
窓
窓
上る
下る
バランサー付き
上げ下げ戸
パチンコ玉を
詰めた
ガラスびん
背のクッション
外す
ひじかけ中央に移動する
ずらす
SOFA
BED
ひとり用の
BED
もうひとり用の
BED
炭火バケット
KITCHEN
STOVE

移動式電灯

自家発電できる電気の容量に限りがあることは、先の項でくわしく書きました。

節電の習慣を身につけることが小屋暮らしの作法ということになりますが、作法は頭で考える前に、体で覚えるに限ります。土間で使える電灯は四〇ワットの電球ひとつと決め、それをシンクと七厘レンジのある壁側と、土間中央に据えた配膳台側で使えるように移動式にしてあります。節電という本来の目的の他に、この移動式電灯で小屋の利用者に節電の習慣をしっかり身につけてほしいというのが、私のひそかな思惑です。

安物のカーテンレールを使って灯具の吊り元をスライド移動させる簡単な仕掛けは、レミングハウス頼みの綱の工作名人、稲田君の仕事。普通なら長いコードをUの字を連続させた形にカーテンレールに引っ掛けて吊るところですが、ここでは螺旋《らせん》状に巻いて（電話機のカールコードのように）吊ってあるところがミソ。こうしておくと畳みしろが最小にでき、移動距離が大きくできるのです。

キッチンストーヴ

小屋の暖房は、『ＮＡＹＡＮ』という名前のストーヴです。前扉を開ければ炎を愉しめる暖炉となり、閉ざせば暖房効率の良い薪ストーヴにもなるスグレモノの暖房器具。炭火の底力を知ってしまった私は、このストーヴに小さな改良を加えて、炭火式のキッチンストーヴとして使えるようにしました（もともとこのストーヴをデザインしたのは私ですから、改良してもどこからも苦情は出ません）。と書くと、なんだか大げさに聞こえますが、なに、ストーヴの上に開けてあるヤカンや鍋などを載せるための丸穴に、炭火を入れるバケットがセットできるようにしただけです。

炭火は一酸化炭素が心配の種ですが、ストーヴには煙突がついているので有毒な排気ガスは上昇気流とともに煙突を通って外に排出されます。本体のストーヴと併用することも可能なので、冬になったらシチューを煮込んだり、燗酒をつけたりするのに具合がいいというわけです。

バランサー付き上げ下げ戸

通常、小屋に泊れるのは六人。寝具はこの人数分用意してあります（それ以上の大人数に備えて、四人用のテントふた張りと、多数のシュラフあり）。寝具をしまっておく収納を考えるにあたっては、以下の条件を満たしたいと思いました。

①ワンルームの小屋の中で、その場所がいかにも「押入れ的」に見えないようにしたいこと（ここが押入れに見えると、部屋全体が寝室的に見えるので……）。

②押入れの引き違い戸のように半分ずつ開くのではなく、寝具を出し入れするときの作業性を考えて、全面がいっぺんに開くような仕掛けを工夫すること。

③留守中に寝具が湿気たり黴《か》びたりしないよう、通気性に優れた素材を使った扉をデザインすること。

④寝具を全部取り出した後は、寝台車のように、隔離可能な一人用ベッドになるようにしておくこと。

読者はもうお気づきでしょうが、なかでも私が一番愉しみながら考えたのが②です。

片手で軽く操作でき、上げ下げの途中、どんな位置でも止まるようにパチンコ玉を詰めたガラス瓶をバランサー（錘）にするW・ヒース・ロビンソン風のアイデアが閃《ひらめ》いたときは、人知れず顔が綻《ほころ》んだものです。

そうそう、④についての予想外の出来映えも、特筆しておかなくてはなりません。簾戸《すだれど》で隔てられた寝台の居心地は「御簾《みす》の間」と呼びたいぐらいになりました。

ガラス戸＋網戸＋雨戸

部屋の壁は以前の建物の構造体だったブロック壁にペンキを塗り、そのまま残してあります。北側の壁には同じ大きさの窓が距離を置いてふたつ並んでいますが、この窓もオリジナルのまま。もとからあったこの窓が大きさといい、プロポーションといい、なかなか美しいので、建具のデザインには慎重を要しました。

木製ガラス戸の四方の框《かまち》を見せないで室内からはガラスだけが見えるようにする（専門用語では「隠し框」と呼びます）ことは即座に思いつきましたが、特別な窓なのですから、なにかもうひと工夫が必要でした。しかも、できれば大工手間のかからない簡単で安上がりな方法が望ましいのです。

こうした窓は、ガラス戸、網戸、雨戸と三本溝にして、それぞれ片引きにするのが普通のやり方ですが、ここでは一本引きの敷居・鴨居にしてみました。ガラス戸、網戸、雨戸を一枚の建具でつくってあるので、ガラス戸を引いた分だけ網戸になり、そのまま引き続けると雨戸になる、というちょっと人を食った愉快な仕組みです。しかも、隣り同士の窓の建具も連結してあるので、片側で戸を操作すれば、お隣りの戸もシンクロして開くのがもうひとつの自慢です。

　全体は、ガラス戸＋網戸＋雨戸＋ガラス戸＋網戸＋雨戸が一枚仕立てになっていて、高さ一・三メートル、総長五・五メートルの大きな建具。建物の裏側に回ってみるとその建具の全貌を見ることができます。

ソファ・ベッド

　この小屋はエネルギー自給自足の実験住宅的な性格を持っています。そんな小屋の暮らしを、自分やスタッフだけでなく友人知人をはじめ、大学のゼミの学生など、多くの人たちに体験してもらうために、できるだけ大人数が無理なく泊れるようにしておきたいと、計画の初期から考えていました。

　と言ってもワンルームの小屋ですから、とうぜん雑《ざ》魚寝《こね》的にはなってしまうのですが、泊る人同士がそれなりに距離感を保って安眠できるような工夫が欲しいと考えたのです。

　造り付けにしてある長いソファベンチの背のクッションを外すと、二人分の長さのベッドが出現し、ベッドとして使用するときは、中心に肘掛けクッションを差し込むようにしてあります。そのベッドで休むことになった二人の間に心理的な距離感を生み出すためのアイデアです。人間の心理って不思議で、こんなちょっとしたことでもプライヴァシーが確保されたような気がしてくるものです。

断熱・エアタイト・防塵《ぼうじん》クッション

　夜、就寝するときは、木製建具の隙間風を防ぐため、窓枠にクッションを詰め込みます。このクッションは断熱、遮光、防音を兼ねているほか、留守中に吹き込む細かな砂埃《すなぼこり》を防ぐ役目もしているのです。

七厘レンジ

　詳細は次章

これが、断熱・エアタイト・防塵クッション。枠よりもクッションを少し大きめに作ってあるので、ピッタリはまる。

六章　食う寝るところ

10人目からの宿泊客は「特別室」にお泊りいただきます。

調理の火にこだわりあり

小説家の檀一雄さんは世界各地を放浪した旅名人でした。

しかも、ただ旅をするだけでなく、しばらくはその土地に住み着いてしまうところが檀流の旅のスタイルだったかもしれません。小説であれ随筆であれ、檀さんの作品を読んでいると、「住む」あるいは「暮らす」ということが「食う、寝る」という言葉と分かちがたく結びついていることに気づかされます。その土地で食べた料理を、見よう見まねで再現していたというのですが、食材は市場で手に入れることができても、キッチン付きのホテルでもない限りホテルで料理することは不可能です。ところが檀さんはそれをやってのけていて、サラリとこう書いています。

「私は、どこに出かけるときにも、登山用の小さいマナ板と、庖丁と、ガソリン焜炉だけは忘れない。（中略）キッチンがついてなくったって、なにもビクビクすることはない。バスとトイレ付きの部屋だったら、実に充分に過ぎるのである」（檀一雄『わが百味真髄』）

長年暖めていた「エネルギー自給自足の小屋」がいよいよ実現の運びとなったとき、この檀さんの言葉が気持ちの上でどれほど大きな支えになったか分かりません。そう、生活の知恵を働かせ、創意工夫の精神をもってすればビクビクすることはないのです。

じつは、小屋暮らしの大きな課題のひとつは、料理のための熱源を何にするかということでした。この小屋の大方針は、電線、電話線などの「線」に繋がれていないことと、水道管、下水管、ガス管などの「管」に繋がれていないことでしたから、まずガスの選択肢はありません。先ほどの檀さんの助言もあり、最初に思いついたのは登山用のレンジです。アウトドアの専門店を覗いてみると、取り扱いも簡単で性能の良さそうなバーナー・レンジが並んでいました。でもねぇ、なんか、こう、ちょっと違うんですよね。

「七厘＋炭火」で竈《かまど》の重厚感を

たしかに粗末な小屋は、考えようによっては木造のテントみたいなものかもしれません。でも、私の中ではテントと小屋は決定的に違うのです。どう説明したらいいでしょう……、私にとって小屋は「暮らしという地面」にしっかり足を着けた「住まい」なのであって、決してキャンプじゃないんですね。というわけで、キャンプを連想させるレンジは不採用となりました。次の候補は鍋物なんかに使う卓上カセット・コンロでした。手軽で火力もそこそこありますし、なんといってもその簡便さが特徴です……。でも、違うんですよね。私は、普段はカセット・コンロを愛用していますが、小屋での料理を卓上カセット・コンロでするのは、なんか侘しいんです。大きな理想を抱いているはずの小屋が、急にしょぼくれちゃうというか、所帯じみちゃうというか。

あるとき友人に小屋の熱源問題で悩んでいることを話しますと、その友人が「結局は、手軽な感じ、気軽な感じ、つまり軽い感じが嫌だってことだね。だったら重ければいいんだろう？」とサラリと言いました。「そう、まったくその通り！」でした。

私が漠然と想い描いていたのは竈のような、どっしりと存在感のあるものだったのです。煮炊きができればそれでいいと考えるなら、キャンプ用のバーナー・レンジであろうが、家庭用の卓上カセット・コンロであろうがかまわなかったわけですが、私は、小屋にとって料理の火が何であるべきか、その「あり方」にこだわっていたのです。そのこだわりの背景には、人の暮らしと住まいには「火」が不可欠だと考える私の住宅観があります。住まいという場所は「食う」「寝る」ところなんだ、という根強い思想と言ってもいいかもしれません。無意識にその「食う」を支える調理の「火」にこだわることで、私にとって「住宅とは何か？」について、考えるきっかけを与えられたと言ってもよいかもしれません。そして、結論を申し上げますと、小屋の煮炊きは最終的には「七厘＋炭火」に落ち着きました。熾すのにひと手間かかる炭火と、手軽とは言いにくい七厘が、何よりも私の気持ちにストンと素直におさまったからです。そうそう、ストンと言えば、私は、その七厘を調理カウンターにストンと落とし込んでおさめる小屋用の「七厘レンジ」をデザインしました。写真をご覧いただけば一目瞭然ですが、七厘をはめ込む丸い穴と七厘の間に断熱のための隙間《スリット》を設けてあり、七厘はウォルナットを削りだした三カ所の五徳に引っかけて使います。火力の強い炭火を入れた七厘は非常に熱くなりますが、五徳以外はどこにも接していないので安全なのです。燃焼に必要な新鮮な空気が外壁に取り付けた吸気口から直接入る工夫や、引き戸を開け閉てして使用できることなどが、この七厘レンジの見どころです。本格的な竈とはくらべものになりませんが、どこか竈の面影を宿した火のある場所になってくれたように思います。

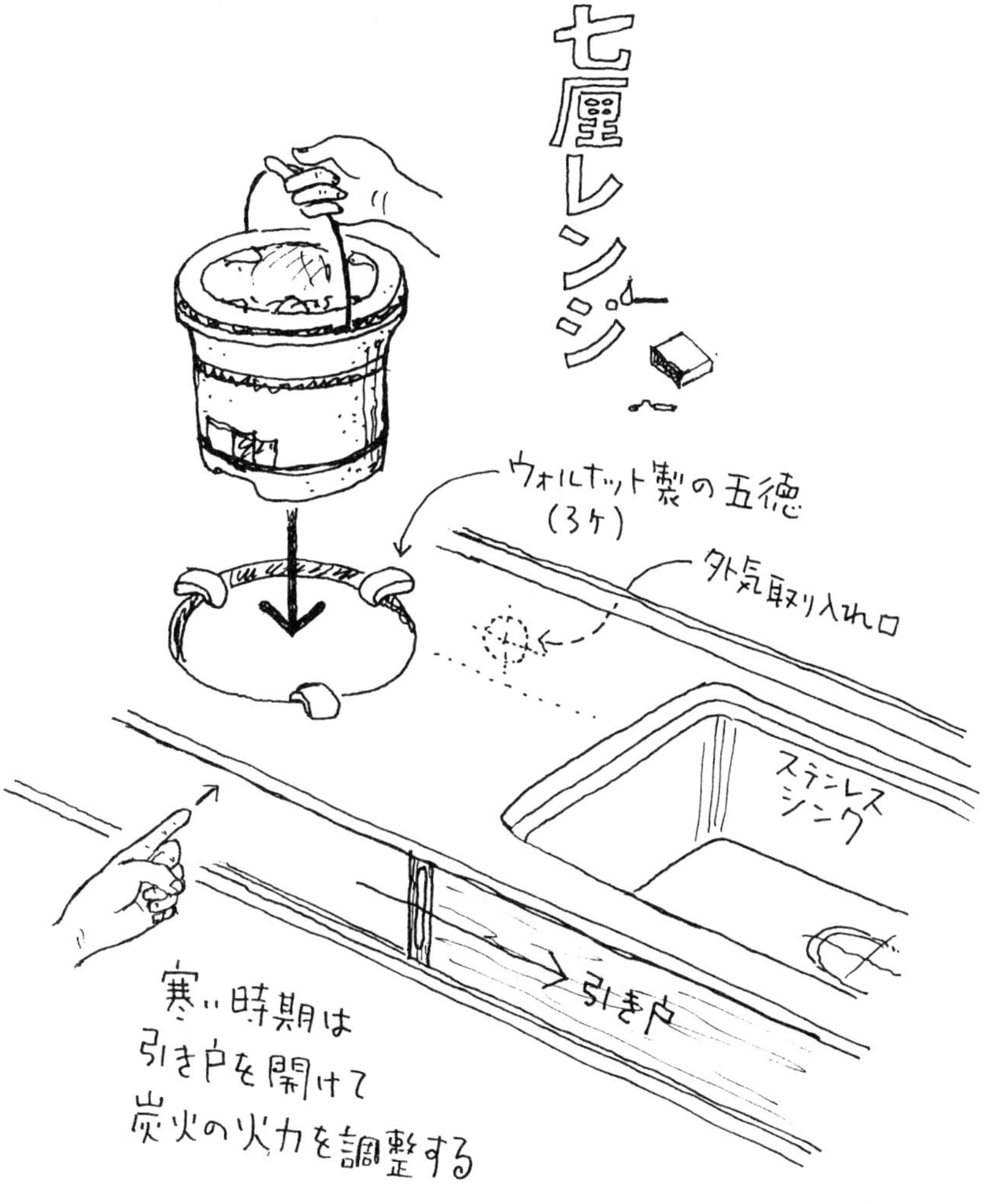

七厘レンジ
ウォルナット製の五徳
（3ケ）
外気取り入れ口
ステンレス
シンク
引き戸
寒い時期は
引き戸を開けて
炭火の火力を調整する

炭火を入れた七厘を七厘レンジにセットする。
七厘の首まわりの曲面と同じ形に削ったウォルナット製の木片３個が空中で七厘を支える。

炭火の火力は信じられないほど強い。L型に折った厚さ２．３ミリの鉄板を壁から浮かして取り付けて、壁をガードしている。

食器類は土間のほぼ中心にあるアイランド型のカウンターに収納している。ブラック・ウォルナットのカウンターは配膳台であり、立ち呑みのバーカウンターでもある。

台所の壁に取り付けたハンガーパイプとポリタンク。ポリタンクには屋根で集めた水ではなく、飲料水が入っている。

竹串を束ねて作った自家製の包丁刺し。

簡素きわまりない台所全景。本文中では触れなかったが、下水管がないので生活排水は浸透枡に入れて地中に浸透させる。このため、食器洗いは石油系の洗剤ではなくオーガニック系の洗剤を使っている。

皿類は斜めに立てて収納する。重ねて置いたとき上のほうだけ使うということがないのと、糸底で表面を傷つけることがないので。

カウンターの台所側は引き出し。カトラリー、グラス・コップ類、コーヒー、紅茶、乾物、皿類などが効率よく納まる。

七章　朋有り、遠方より来る

働く小屋での「食う寝る」予行演習

じつを言えば、小屋の普請を思い立ったときから、私は、この小屋で営まれる貴重な生活体験を独り占めにするつもりはありませんでした。

このささやかな住まいの実験に興味を持ってくれる身近な友人知人をはじめ、仕事の仲間たちなど、できるだけ多くの人と、自然の営みと真正面から向かい合う質素な小屋暮らしの経験を分かち合いたいと考えていたのです。

先日、小屋に、札幌から友人の早川夫妻が、子供たちを連れて訪ねてきました。夏休みに、家族四人でこの小屋で過ごす計画があり、下見を兼ねて初めての訪問です。小屋を上手に使いこなすにはちょっとした覚悟と秘訣が必要なので、それを家族そろって習得しておくことも今回の訪問の目的でした。

繰り返しますが、小屋の暮らしは不便や不自由と背中合わせです。その暮らしぶりを「面倒」と感じるか「愉快」と感じるか、また「貧しい」と感じるか「豊か」と感じるかが、小屋の似合う人かそうでないかの、大きな分かれ目です。さいわい、やって来た早川さんご一家は後者で、到着するなり、全員が喜々として部屋の大掃除から作業を開始。さらに外に出て、高架水槽（樽）と量水メーターの点検、ポンプの水汲み、炭火料理のための火熾し、ダッチオーヴン料理などに取り組みました。「働く小屋」に来た人は、いつのまにか健気な「働き者」になってしまうようです。最後は、布団の敷き方をマスターして、小屋暮らしの予行演習は無事終了しました。

札幌からやって来たカナちゃんが、ベランダの掃き掃除をしている。
箒《ほうき》で掃くということが、もう珍しい仕事になったことが、この掃き方を見ただけで分かる。

天気が良ければ、料理も外でするのが気持ちがいい。外なら炭火から出る一酸化炭素の心配もいらない。

ダッチオーブンの蓋で炒め物。
革の手袋は料理の必需品。

地中のタンクに貯めた雨水を、揚水ポンプで高架水槽に上げる。「どこまで上がったかなあ？」。高架水槽の量水計をチェックしながらの仕事。

この小屋は訪れた人も「働く小屋」。食事の支度も全員参加。

大テーブルを囲んで賑やかなランチ。「今日は休日なのでワインを少々……」。

まだ明るいうちから寝る支度？　いえ、いえ、次回来るときのための予行演習です。

ソファに2人、床に2人、収納の中に１人、さらに収納の上のロフトに1人、合計6人が、この小屋の通常の収容人数（特別な工夫をすると、15人まで泊れます）。

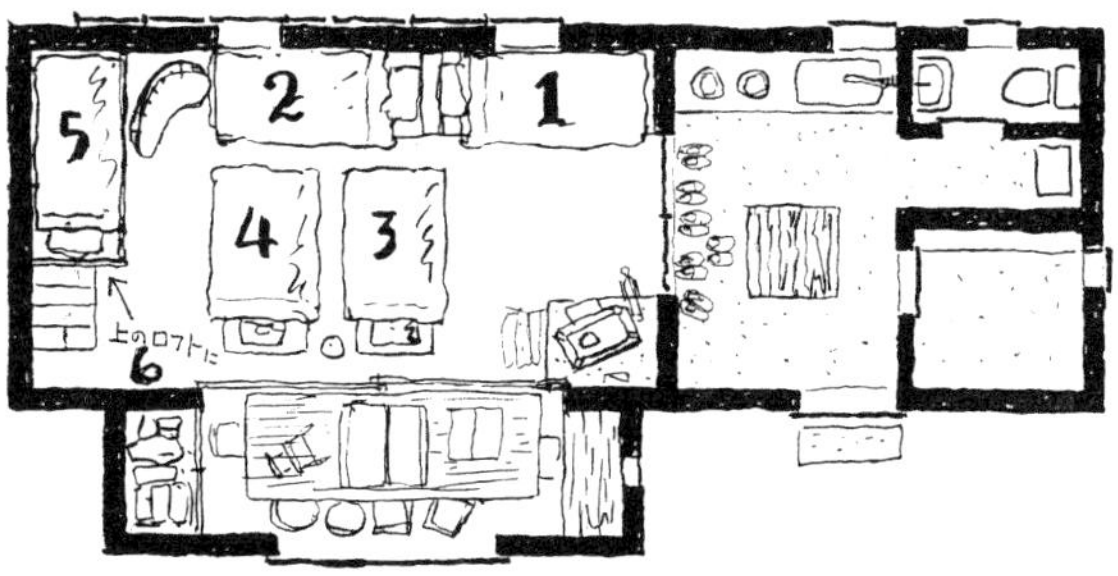

夜の使い方(その1)
6人で泊るとき

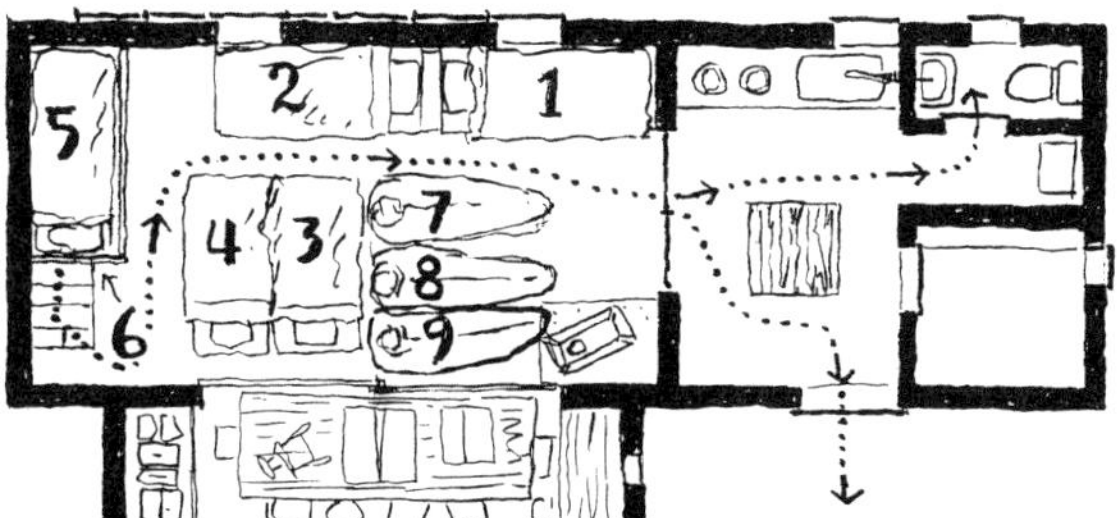

夜の使い方(その2)
9人で泊るとき
……→動線を示す

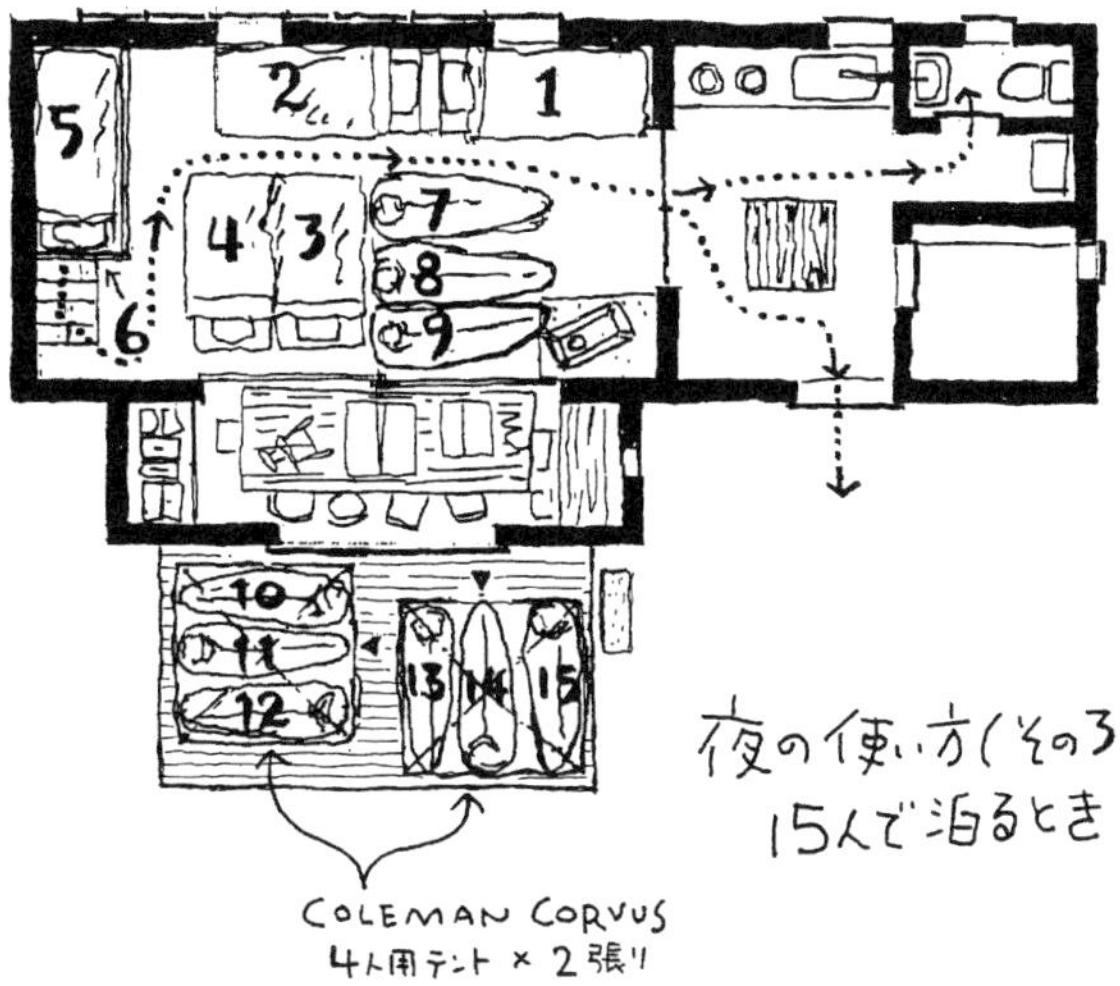

夜の使い方(その3)
15人で泊るとき

八章　畑仕事

放置農業で大収穫

小屋の敷地は東西に細長い長方形で、面積は二〇〇坪ほどあります。この敷地の北西の角に小屋は建っています。配置的には、家が敷地の隅っこに寄せられているような感じを受けますが、もともとこの場所に住んでいた開拓者のご夫婦にとっては、自分たちの住まいよりも、まず、畑の用地をできるだけ広々と確保することを優先したかったのだと思います。

ただ、私がこの土地を借りることにした八年前（二〇〇五年）は、敷地全体に人の背丈を超える雑草や灌木が生い茂り、とても踏み込むことのできない草藪《ブッシュ》と化していて、かつてそこが畑だったことなどまったく窺い知れませんでした。あるとき、この場所をなんとかしようと、鎌を片手に藪を切り開きながら少しずつ進んでいきますと、突然「キェーッ」という鋭い声がして、雉《きじ》がバタバタ飛び立っていきました。長い間放置されていたこの藪全体が雉の巣になっていて、ちょうど卵を温めていたところに私が闖入《ちんにゅう》してしまったのです。先住の雉に対して、さすがに申し訳なく思い、卵が孵《かえ》って小鳥の雉が巣立っていくまでそっとしておき、その後でここをすっかり切り開いて畑に戻しました。

最初の年は小屋本体の工事に掛かりきりで畑まで手が回らなかったのですが、小屋のほうがどうやら格好がついてきた二年目には、畑を耕し、肥料を混ぜて、ジャガイモやトウモロコシを植えました。畑といっても、毎週末、小屋に行って世話することができないので、あまり手の掛からないもの、ほったらかしにしておいて育ってくれる作物を植えたのです。というわけで、小屋の畑仕事を名付けるとすれば「放置農業」ということになると思います。

三年目は染織をしている妻と友人たちが藍染めをするための藍を植え、あたり一面（といっても五〜六坪ですが）緑豊かな藍畑になりました。藍は畑を痩せさせるので連作はせず、四年目からは野菜畑に戻し、定番のジャガイモ、二十日大根、枝豆、ルッコラ、モロヘイヤ、バジル、フェンネルほかの各種ハーブなどを植えました。なかでも予想外の大収穫だったのはカボチャです。近所の野菜の種と苗を扱う店で五〇円で買ったカボチャの苗が「放置農業」という言葉通り、放って置かれるままに地面を縦横に這いまわり美味しいカボチャをたくさん実らせてくれました。

こう書くと、いかにも私が土まみれで畑仕事をしているように誤解されそうなので、急いで付け加えますが、畑仕事を実際に取り仕切っているのは妻と友人たち女性陣で、小屋にいるときの私は、もっぱら大工仕事、工作仕事に従事していて、畑に関しては、言われるがままに土を耕し、草を取り、水遣りをするほんの手伝いの小作人に過ぎません。写真はその手伝いの一瞬を撮ったものですので、念のため。

敷地のほとんどは、もともと畑だったところ。その土を耕し肥料を撒き畑として復活させた。ただし、その畑の面倒を定期的に見ることができないので、作物は手間のかからないものに限られてしまう。麦わら帽子をかぶった開拓者夫妻のように見えるが、私はただの小作人で畑の主は妻と友人たち女性陣。

右頁／ハーブガーデンとは名ばかり、ほとんど野生化したハーブたち。どこまでが雑草でどこまでがハーブか、葉っぱをちぎって匂いを嗅いだり、嚙んでみたり。

ひと苗、50円で買ったかぼちゃは元気いっぱいそこらじゅうを這いまわり、美味しいかぼちゃがたくさんできた。握り拳より小さなかぼちゃを、そのままスライスしてサラダに入れたら美味しかった。

九章　大工仕事

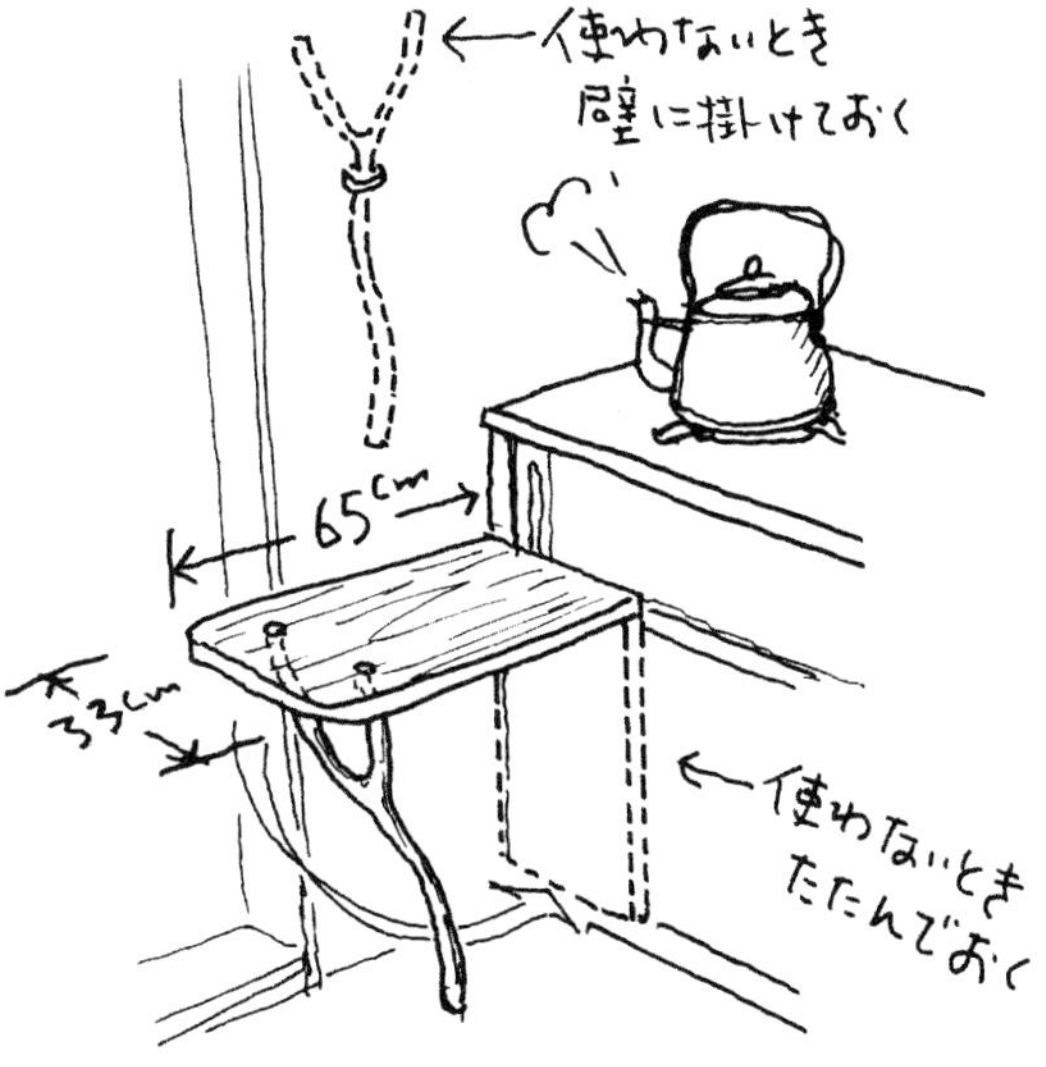

折りたたみ式
作業台

今日の業《わざ》をなし終えて

「もしもし、村上さん？　中村です、こんにちは。じつはね、ちょっと頼みごとがあって電話したんです。あさって、小屋でちょっとした大工仕事をしたいと思っていてね、もし、村上さんの時間がとれたら、材料のことや木取りのことで相談……というか、手を貸してもらいたいんだけど、頼めるかなあ？」「大丈夫？　それはよかった。できれば朝からやるつもりだけど……え？　うん、うん、ああそう、分かった。朝あまり早い時間だと夕べのお酒が残っていてまずいのね。了解！　じゃあ、午前十時半ごろ作業開始ということにしよう。ではでは！」

電話の相手は、前出の家具職人の村上富朗さんです。そもそも私の小屋の話も、村上さんの住まいと工房がこの場所にあったことから始まったことですし、留守中には小屋の管理もしてもらっているので、小屋にとってなくてはならない重要人物《キーパーソン》なのです。

というわけで、今回はスタッフの入夏《いりなつ》君と出かけていき、ちょっとした大工仕事をしようという計画でした。その作業を短時間で効率良く、出来映えも良くするためには、木工の機械設備が整っていて、家具の端材《はざい》もよりどりみどりの村上さんに世話になるのが手っ取り早いと、先ほどの電話になったのです。

大工仕事は大きくはみっつありました。

ひとつめは台所に可動式の作業台を作ること。

小屋の台所で料理するたびに、コンロの脇に何かちょっとモノを置いたりする台がないことに不便を感じていました。文字通り「やり場のない思い」を抱えていたわけです。こんなささいなことでも、台所仕事はいちいち小石に躓《つまず》くような感じになるものです。そうした潜在的な不満をこのさい解決しようと思い立ったのです。といっても小屋の台所はそんなに広くありませんから、作業台が常に出ているのはやはり邪魔になります。必要なときに出すことができて、要らないときは簡単に片づけておける可動棚を作るというのがこのときの課題でした。

ふたつめは、洗面所の鏡。

レムハットは妻の友人たちもよく利用してくれています。それも「お客さま」ではなく、野良仕事、染織仕事などを目的にやって来る働き者ばかり。いきおい手足はもちろん、顔も髪も埃《ほこり》まみれ、土まみれになりがちです。そんなわけで、顔を洗ったり髪をなでつけたりするときのために、洗面所には少し大きめの鏡を取り付けたいと思っていました。前年のうちから鏡だけは用意しておきましたが、その鏡に小屋にふさわしい額縁を付けたいと考えたのです。じつは、外壁に張った杉板の廃材が屋外で雨晒《あまざら》しになって渋い銀鼠色に変色しているのを見て、「これは使える！」と思っていましたから、その廃材を利用した額縁を作ることにしました。

みっつめも懸案事項で、入口脇の薪や焚きつけや、炭の置き場が乱雑を極めるので、きちんと整理できるような棚を作り、整理整頓しようという計画です。

さて、台所の可動棚ですが、私は漠然と必要なときに板を引き出す「スライド式」か「折りたたみ式」にしようと思っていました。どちらにするかは、その場の状況に応じて考えよう、棚板も村上さんのところにある家具材の切り落としなどから適当なものを選ばせてもらおう、という「出たとこ勝負方式」です。建築の設計も家具のデザインも、時にはこうした状況に応じた当意即妙のデザインセンスが必要です。いや、「デザインセンス」というのはちょっと違いますね。どちらかといえば、デザインの「反射神経」、あるいは「運動神経」という言葉が近いかもしれません。料理にたとえれば、レシピ通りの材料を買いそろえ、教え通り律儀に作るというのではなく、冷蔵庫にあるあり合わせの食材だけで、機転を利かせてささっと美味しいものを作るあの感じでしょうか。

作業すること約五時間。首尾は上々、仕上がりはご覧の通りです。

台所の「可動式棚」、洗面所の「鏡」と「洗面棚」、包丁研ぎの「研ぎ台」が、村上さんの全面的な協力のおかげもあり、無事完成しました（入り口脇の棚は時間切れのため次回のお楽しみになりました）。

男三人が大工仕事に励んでいる間、妻と友人たちは畑仕事に精を出し、合間には優雅に野点《のだて》などもして小屋暮らしを満喫していました。さらに、今回はプロの料理人の落合愼一さん夫妻が賄い係として参加してくれ、台所仕事を一手に引き受けて地元の食材を使った酒の肴《さかな》や、美味しい料理をせっせと作ってくれていました。

こうして遠くの山に日が落ちる頃、今日の業をなし終えた善男善女（老若男女と言うべきでしょうか？）八人は、賑やかに夕餉《ゆうげ》の食卓を囲んだのです。

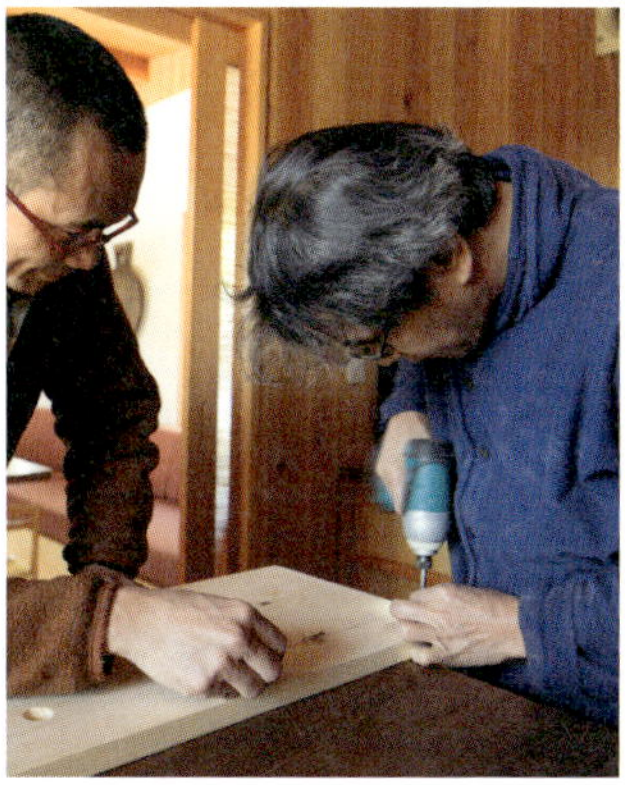

可動式配膳台作り。材料はお隣りの村上さんの工房で調達。

鏡の額縁は庭に放置した廃材から、
色と風合いを選んで製作。

できあがって洗面所の
壁におさまった鏡。

大工仕事のついでに包丁研ぎ。

畑仕事と大工仕事を終え、達成感で満たされた夕食の始まり。

一〇章　ハム作り

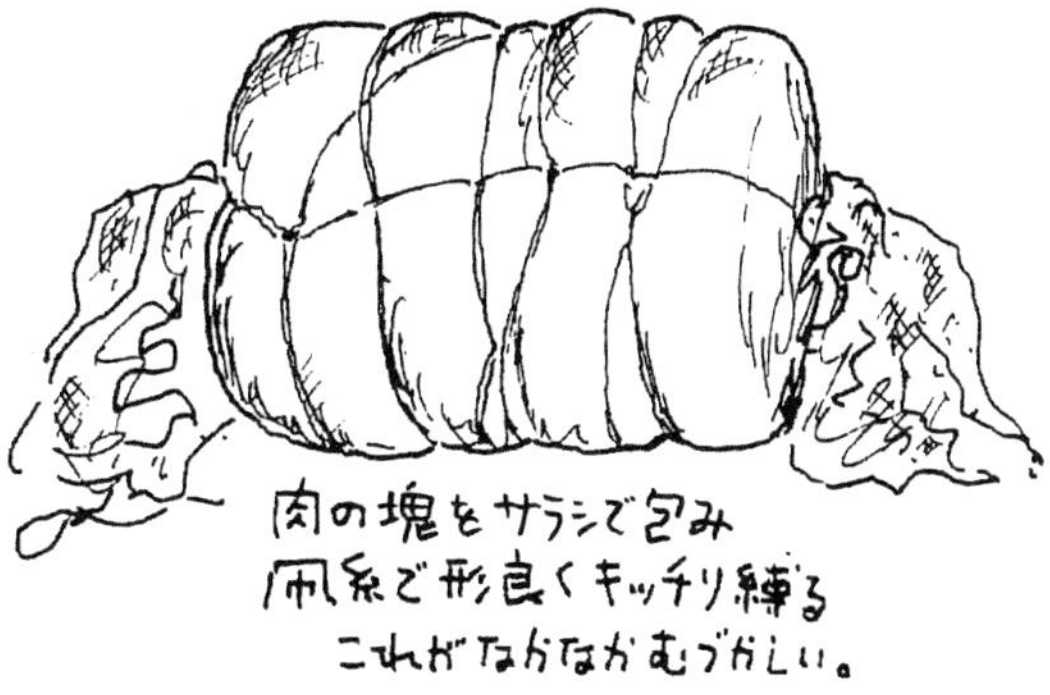
肉の塊をサラシで包み
凧糸で形良くキッチリ縛る
これがなかなかむづかしい。

スモークハム作りの講習会

小屋の畑仕事の主力の働き手のひとりに、大学時代からの友人、丹羽貴容子さんがいます。丹羽さんは私と同じ建築科の出身ですが、万事につけ家事の達人で、なかでも料理にかけては玄人はだしです。

過日、その丹羽さんにお願いして、レムハットでローストハム作りの講習会を開いてもらいました。生徒のほとんどは私の事務所《アトリエ》のスタッフで、ひとり残らず料理することと食べることの好きな似た者同士。ハム作りは一日ではできず、数日前から肉の塊に塩をすり込んだり、ピックル液（漬け込み液）に漬け込んだりする下準備が必要ですが、女性スタッフふたりが志願して、事前に丹羽さん宅に出向いてその下準備から講習を受けてきていました。そして、いよいよ当日、快晴の空の下、丹羽先生を囲んで七人の食いしん坊がロースハム作りに励んだのです。

小屋での作業は、漬け込んだ肉の塊をサラシで包み、凧糸で形良くキッチリ巻いてボイルし、さらに、スモークすることでした。作業を始めてみて分かったのは、小屋の熱源は炭火だけなので火力の調節が難しく、長時間（一時間半かかります）一定の温度でボイルしたり、一定の温度でスモークする（こちらも一時間かかります）ことが難しいこと。もうひとつは、小屋は標高約一〇〇〇メートルの高さにあり、沸点が低いために（九六度ぐらいではないかと思います）そのことも、微妙に作業に影響するようでした。ガスの火ならレバーを調節するだけで、あとは時間のことだけ気にしていればいいのですが、炭火の場合は水温計を覗きこんでは団扇《うちわ》で扇いだり、吸気口を開けたり閉めたり、炭を補給したり、絶え間なく世話をしなければなりませんでした。ま、そういうことが、とても愉しいわけですけれど……。

でも、ご覧下さい。苦労の甲斐あって、桜の煙の香りと、白雪のような脂身に包まれた、見事なピンク色の美味しいスモークハムができあがりました。

ある日、突然「小屋でハム作り教室をしよう！」ということになり、スタッフ全員がレムハットに集合。

大学時代の同級生、丹羽貴容子さんの指導よろしく、ハム作りに没頭。

出来立てほやほやのハム。この色、この香り、この味……言うことなし。

ハムを燻製している間、ベランダに掛けたよしずの下で賑やかな食事。大勢で一緒に食べる食事はなんて美味しいんだろう！

一一章　風呂小屋

起きて半畳、寝て一畳

　さて、ここで私のとっておきの場所をご紹介することにしましょう。場所と書きましたが、じつは敷地の東南の隅っこに建てた建物です。一見、物置のように見えますが、この粗末な建物はじつは五右衛門風呂の小屋です。風呂小屋ですから脱衣所と浴室と焚き口から成り立っています。それだけではなく、ここは私の書斎であり、寝室でもあるのです。小屋にいるときはたいがいコマネズミのように忙しくたち働いていますが、昼下がりの静かな時間など、ひとりでこの小屋に籠もって読書をしたり、昼寝をしたり、仕事をしたりします。夜はもちろんここで眠ります。小屋のサイズは二メートル四〇センチ角の正方形で、床面積は約三畳半です。そのうちの半分が「浴室」と五右衛門風呂の焚き口、残りが脱衣室兼書斎兼寝室です。というわけで居室はとても狭いのですが、この「起きて半畳、寝て一畳」的な大きさ（小ささ？）が、私にはとても居心地がいいのです。私は、ここに掘りごたつ式の居場所をしつらえ、小机の目の前には佐久平と八ヶ岳を眺める窓を作りました。足元が冷える季節には掘りごたつの床に湯たんぽを置きその上に足を載せます。窓は棒で突き上げる粗末な板戸ですが、板戸の中に透明ガラスが仕込んであるので、閉めても外の様子が分かりますし、ちゃんと光も入ってきます。寝るときは机を片付け、掘りごたつの穴に蓋をして布団を敷きます。

　ところで、そうした即物的な便利さは説明できますが、この小屋の居心地の良さをどう表現したものでしょう。この小屋に入ったとき、自分の巣穴に戻ってきた小動物のような気持ちになるのですが、それがうまく言葉になりません。心と身体の内部から、満足と安堵と達観を足して三で割ったような感情がヒタヒタと湧き上がってくると書いたら、少しはその感じがお分かりいただけるでしょうか。言い忘れましたが、もともと私には小屋的な建物に対して「偏愛」と呼んでもよいほどの思い入れがあり、これまでにも、高村光太郎が暮らしていた岩手県太田村の小屋、アメリカ・マサチューセッツ州ウォルデン・ポンドの畔《ほとり》にある「森の生活」のヘンリー・D・ソローの復元されたキャビン、南仏にある建築家ル・コルビュジエの休暇小屋、バーナード・ショーが自宅の庭に建てた執筆小屋など、心惹かれる小屋の噂を耳にすれば遠路を厭《いと》わず出かけていって見学してきました。自分ひとりで寝泊りする小屋をつくろうと思い立った背景には、風呂が必要だからという現実的な理由よりも、私の気持ちの深いところに、古今東西の「小屋の系譜」の末席に加わりたいという潜在的な憧れがあったのかもしれません。

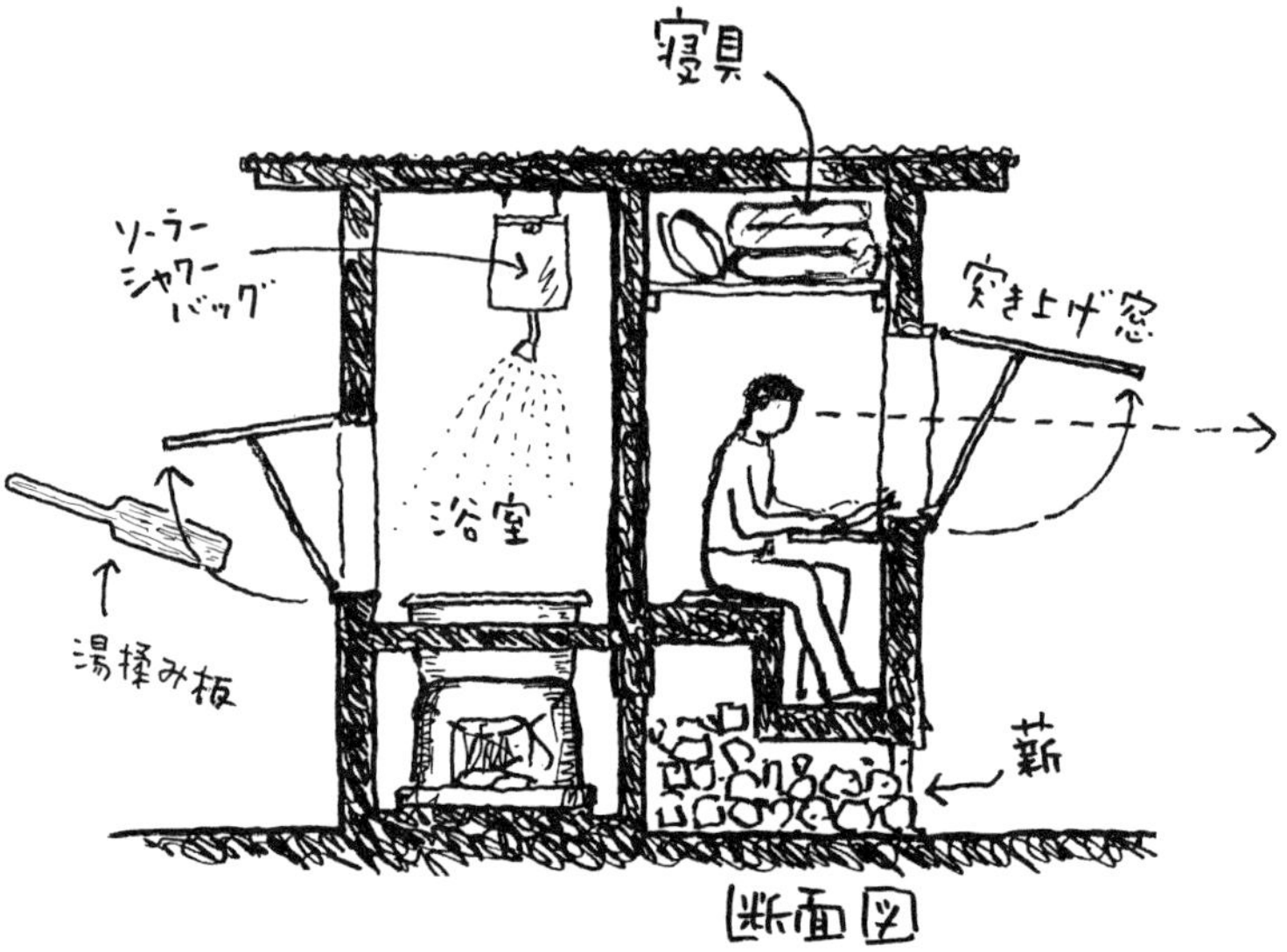
寝具
ソーラーシャワーバッグ
突き上げ窓
浴室
湯揉み板
薪
断面図

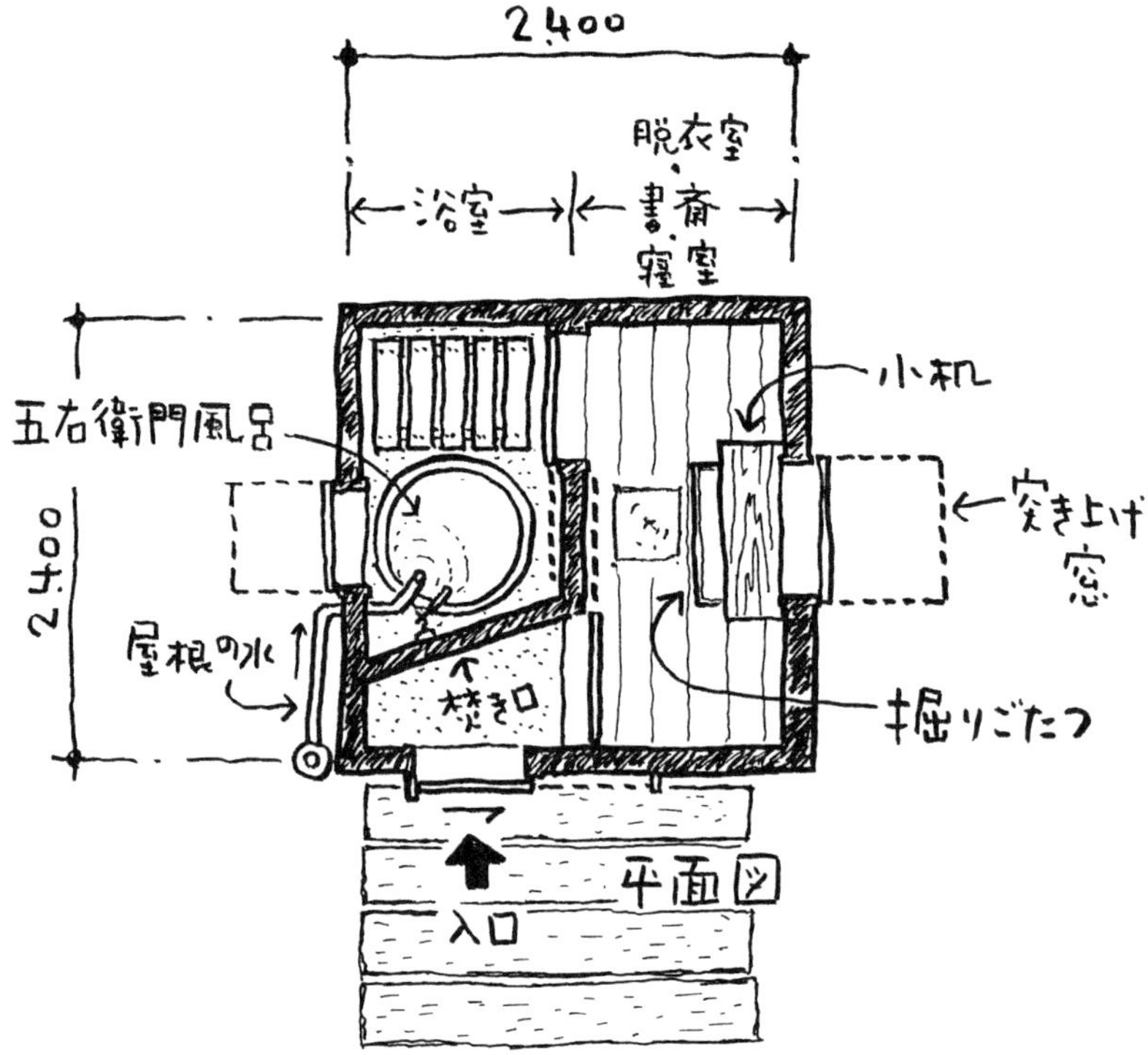
2,400
脱衣室、書斎、寝室
浴室
五右衛門風呂
小机
突き上げ窓
2,400
屋根の水
焚き口
掘りごたつ
平面図
入口

風呂小屋の内部の様子。風呂小屋の脱衣室は私の書斎でもあり、寝室でもある。

上右／五右衛門風呂は火加減が難しい。ときどき窓から湯揉みをして湯加減をチェックする。
上左／小型の風呂釜は円形でまさに五右衛門を茹でた釜のよう。木々が葉を落とすとこの窓から浅間山がよく見える。
下／風呂焚きを興味深げに観察する子猫。「なにやってんの？」と言いたげ。

読みさしの本から目を上げると、風呂小屋の窓から、佐久平とその向こうにそびえる八ヶ岳連峰が望める。
この写真で、小屋の小ささがお分かりいただけるだろう。

おわりに

休暇を御代田で過ごす小屋暮らしをはじめたのは二〇〇五年のことでした。

住宅建築家の私は、石炭や石油など埋蔵資源の枯渇問題や、地球温暖化やオゾン層破壊などの地球環境問題が取り沙汰されるようになりだしたころから、「住宅でできること」「自分にできること」をしなければ……という気持ちを抱いていました。そして、その気持ちはいつしか「エネルギー自給自足型の住宅」のアイデアに結びついていきました。

そんなわけで、小屋暮らしの目的は、自然の懐に抱かれて休暇をのんびり過ごすことだけではなく電線、電話線、水道管、下水管、ガス管などの、文明の命綱ともいうべき、「線」と「管」に繋がれていない住宅で、どうしたらエネルギーを自給自足することができるか、また、そこでは具体的にはどんな暮らしが営めるかを、身をもって実践してみることでした。

そして、まずまずの手応えと、新たな課題が見えはじめた二〇一一年三月十一日、東日本大震災が起こりました。地震、津波のすさまじい破壊力を目のあたりにし、無力感に打ちひしがれていたとき、福島原発の事故が追い打ちをかけるように重くのしかかってきました。事態は刻々と深刻化していくのに、事故対応は焼け石に水。メルトダウンした原発に道連れにされ、奈落の底に滑り落ちていく悪夢にうなされた数日間と、電力が不足して計画停電に追い込まれた絶望的な閉塞状態の日々を忘れることはできません。あらためて我々が電力をどれほど原発だけにのんきに頼り切っていたかを思い知らされ、反省することしきりでした。

そして私は、自分が御代田の小屋で愉しみながらやってきた「線と管に繫がっていない住宅」の実験が、電気に限らず、「地球規模の問題に対してできることと」というより、自分の「暮らしに密着した問題に対してできること」だったことに気づいたのです。小屋の暮らしは不便と不自由と背中合わせですが、振り返ってみると、その不便と不自由を生活の知恵と創意工夫の精神で乗り切っていくところや、住まいで営まれる「食う、寝る」という基本的な生活行為を自分らしいやり方で愉快にしていくことに妙味があったとも言えます。

この本はそうした個人的な実験の報告書です。この本が、住まいと暮らしを大切にし、将来の住宅のあり方にも思いを馳せる読者、とりわけ、「今日、電気が停まったら？」「明日、水やガスが出なくなったら？」という危機感をお持ちの読者にとって、ささやかなヒントになってくれたら、嬉しいかぎりです。

最後になりましたが、残念なお知らせがあります。この本にたびたび登場する家具職人の村上富朗さんは、一昨年（二〇一一年七月）亡くなられました。小屋暮らしの相棒ともいうべき村上さんに、慎んでこの本を捧げたいと思います。

二〇一三年三月

中村好文